대한법률신문 사회국장 칼럼집 I

그냥 이야기

김철수 지음

약 력

김철수 작가는
1948년 강원도 동해시 출생,
속초시에서 성장했다.
영랑초등학교, 속초중학교,
속초고등학교,
성결대학교 지역사회개발학과를 졸업함.
<백수제약> 등 22년 근무
<보건신문> <환경일보> <대한법률신문>
논설위원 칼럼리스트.
오늘날 다큐 작가로 활동 중이다.
인류의 민족사에 깊은 관심을 가지고
연구원으로도 활동하고 있다.

대한법률신문 사회국장 칼럼집 I

그냥 이야기

김철수 지음

진달래 출판사

박빛나, <겨울을 따뜻하게 보내는 가장 좋은 방법>

목 차

추천사

강석정 목사

글은 마음의 양식입니다.

누가 누구를 추천하고 그를 평가한다는 게 좀처럼 쉬운 일은 아닙니다. 참으로 대견스럽고 깊은 생각을 하게 하는 글이 김철수 님의 글입니다.

글을 통해 글쓴이 생각을 읽을 수 있고, 그 글쓴이의 마음을 알 수도 있으며, 정신적 교훈도 느낄 수도 있습니다.

김철수 님은 불편한 몸을 유지하면서도 전혀 그러한 내색을 하지 않으며, 그분 글귀를 대할 때마다 두 눈을 부릅뜨고 읽고 또 읽어보게 됩니다.

글은 마음의 양식입니다. 과거가 아닌 현재와 미래를 느끼게 하는 김철수 님의 글을 모아 한편의 책으로 엮는다 하니, 적극 지지하며 애독자 여러분의 많은 사랑을 고대합니다.

박진수 대표

내 친구 바둑이를 추천합니다

우리가 벗이 된 지 벌써 30년이 지났네요.

1999년 자네가 울산에 근무하고, 여주 고려병원에서 "납중독"으로 죽어간다는 비보를 접하고, 키토산 5병 들고 여주로 달려간 생각이 나네요.

죽어가는 친구 표정은 "환한 미소"였지요.

친구를 대하는 철수는 "친구야, 내가 50대에 세상을 떠나지만, 지네와의 우정은 잊지 않을게. 천국 가서 자네를 기다릴게" 한 자네가 내가 준 "생명약"으로 소생하여 "작가" 될 줄은 몰랐어요. 더구나 "인류 민족사"를 사법고시처럼 공부할 줄 몰랐어. 나는 자네를 볼 때마다 "저런 자신감이 어디서 나오지?" 하며 놀라곤 했어요.

오뚜기 같은 친구 김철수 기자를 "융단 분석" 하면서 추천사를 씁니다.

단점보다 장점이 많은 친구.

남을 위하여 당신의 몸을 바친 분처럼, 없는 가운데서도 남을 돕는 걸 보고 자랑스런 친구라 생각하네

그려.

친구가 2015년 두 다리를 잃고 서울 한전병원에 입원해 있을 때 매주 월요일과 금요일 친구를 찾아갔던 추억이 떠오르네요.

신문 스크랩하며 글을 쓰는 그에게서 "연구하는 집념"을 발견했어요.

우린 무언의 약속을 했지요. "친구야, 우리 30년 더 친구 하며 100세 시대를 맞이하자구나-"

자네의 칼럼 "그냥 이야기" 출간을 진심으로 축하하며 추천사를 보낸다네.

세상에서 가장 친한 친구여!

이자옥 대표

작가 브이치치 오빠를 "추천합니다"

미국의 두 팔 두 다리 없는 장애인인 브이치치를 존경합니다. 근데 한국에도 두 발 없는 브이치치가 계십니다. 바로 우리 오빠입니다.

8년 전 부산에서 두 발 잃은 작가를 우리 어머니께서 양아들로 삼아 저와 남매사이가 됐습니다. 정치와 사상에 신경 쓰지 않는 오빠를 존중합니다

저를 여류 사업가로 띄워주시는 오빠께서 이번 출간에 평범한 사람들의 추천사를 고집하셔서 이 글을 보냅니다.

어머니께서는 병상에 계시면서도 철수 오빠를 찾으십니다. 비록 장애인이지만 브이치치처럼 환한 미소로 기사를 쓰시는 것을 보면 감동이 되어 눈물이 나옵니다.

오빠의 칼럼이 처음엔 이해가 안 되었지만 1년 이상 매일 읽다 보니 꿀맛 같은 내용임을 알게 됐습니다.

주옥같은 오빠의 글들이 한 권의 책으로 출간된다하여 축하드리며 감히 추천사를 드립니다.

박빛나, <언젠가 그날에>

축사

유광희 이사

출장 나와서도 공부하던 제약회사원

1978년 새해 우린 제약회사 영업부 신참으로 강원도를 누볐지요? 각자 다른 제약회사에 속했지만, 친교모임 "동물 모임 조직" 아이디어를 낸 자네를 명석한 들개라고 생각했지요.

나는 물개.

오소리 황새 염소 돼지. 그렇게 6인조 약쟁이라 했지요.

지성인답게 약국 병원 한의원 등에 대한 정보를 공유하며 20여 년 근무하다 보니 모두 퇴직하고 물개인 나만 남았네요. 자네는 기자가 되었더군요. 떡잎부터 알아본다더니 출장 나오면 숙소에서 공부만 했던 김소장을 "지겹게 공부"하고 도대체 뭘 또 공부하나 했더니 모두 역사책이었지요?

2000년에 퇴직하더니 "의약 전문기자"로 새 출발하는 걸 보고 다시 놀랐네요. 그의 007가방 속엔 도봉도서관 책이 한두 권 있었지요. 공부벌레 김소장.

내가 물었지요. "그렇게 신문을 스크랩해서 뭐 할건데?“
"나중에 자료가 되고, 소재가 돼, 광희야.“
진짜 작가가 될 준비를 했구나.
옛 제약업계 동료들이 축하합니다.
공부벌레가 영업부 기획부 학술부에서 두각을 나타낼 줄은 감을 잡았지만, 일반 기자에서 논설위원이 될 줄은 꿈에도 몰랐다. 군대로 말하면 4성 장군이랄까?
첫 출간을 축하합니다. "그냥 이야기"를!

조영작 회장

김철수 작가님께 축하드립니다.

십여 년 전 강원도 산골 황둔이라는 마을에 당시 환경일보 취재부장인 김철수 님이 "건강수" 취재를 오신 것이 계기가 되어, 이후 친구로 지내고 있습니다.

또 공장을 강원도에서 광주로 이전 했을 때도, 부산에서 "세계 물 포럼"행사 때도 직접 취재오신 절친한 기자였던 김철수 님이 작가로 변신해 책을 출간하신다니 축하드립니다.

저는 현재 전남 담양에서 주식회사 "순수스마트워터"를 경영하며 국민 건강을 위해, 또 세계인을 위해 "큐워터"를 개발해 보급하는 사업을 하고 있습니다. 우리는 김 기자님을 "물 박사"로 부르고, 건강수첩에도 우리 사업이 보도되어 늘 감사를 드립니다.

한때 의식을 잃고 산소호흡기로 생명을 부지할 때 김기자 님은 건강수를 병실에 쌓아놓고 드셨던 때가 생각납니다.

"물기자"님이 출간하는 책 속에 건강수에 대한 기사도 많이 들어 있기를 기대합니다.
100세 시대에 우리 몸을 건강하게 하는 물도 일조가 될 겁니다.
건강수 마시고 건강하게 좋은 글 많이 쓰는 김철수 작가님을 축원합니다.

백준원 교수

20년 지기의 사회 친구

"지기"라는 말이 있습니다. -등대지기 십년지기 학문지기(함께 공부한 동기동창).
예부터 함께 지낸 사이를 지기라 합니다.

김철수 기자가 어느날 "다큐 작가"로 변신하여 "책"을 출간한다니 깜짝 놀랐습니다. 기자들은 대부분 현실 속에서 사라지는게 원칙인데, 이 친구는 언제부터 "역사학"을 공부했는지 궁금하기 짝이 없습니다.

독학? 고시? 아니면 나를 만나기 전부터 공부했나? 어디서? 학교는?

20년 지기의 사회 친구라 내가 모르는 의문점이 한두 가지 아닙니다. 그래서 나는 그분을 "양파"라고 별명을 붙였습니다.

의약 전문기자라 하여 대화해보니 심장학은 물론 세포학과 물에 대해서는 박사급 이상이라서 부산대학교의 물 박사님께 소개한 적이 있고, 또 그의 기사를 본 물 박사님도 감탄한 적이 있습니다.

이 친구님이 매일 연재한 "지구촌 이야기"를 책으로 출간한다고 하니 한 번 놀랐지만, 다시 놀란 것은 1년 4개월 동안 하루도 빠짐없이 카톡으로 한국사 동양사 세계사 지구촌 역사를, 특히 인류 민족사에 대한 "칼럼"을 보내니, 그 글을 읽고는 넋을 잃었을 정도입니다.

그의 글이 밤중에 올 때는 두 다리가 불편한 친구에게 무슨 일이 생겼나 하고 걱정이 되어 슬그머니 전화해 보곤 했습니다.

그분의 메일 글 안부가 없으면, 나뿐만 아니라 아마 5,000여 명의 독자도 그분의 하루를 궁금해한다는 얘기를 그에게서 들은 적도 있었습니다.

이 친구가 서울의 한일병원, 삼성병원에서 "사투"를 벌이고 있을 때, 그는 부산 정관에 사는 내게 어느 책의 표지 서문 목차만 복사해 보내주거나, 어느 책을 소개하는데, 대부분이 역사서였다.

그가 입원 중일 때 나는 매일 두 번씩 통화하는 걸 생활화(?)하곤 했다.

그가 불편한 다리에도 항상 미소로 삶을 누리는 걸 보며 어찌 도와줄까 해도 고개를 가로 짓는 친구다.

그의 전동 휠체어를 밀어주면서 보니, 그의 가방 속에는 늘 빵과 우유가 있습니다. 그는 길을 가다가 노숙인을 만나면 뭔가를 건네줍니다. 서울역의 노숙인들은 거의 내 친구를 안다고 합니다.

나는 그를 한국의 페스탈로치라고 부르면서 그가 내 친구임을 자랑스럽게 여깁니다.

오익환 교수

매사에 적극적이고 긍정적인 김철수 작가

2018년 겨울 휠체어를 타고 오신 김철수 작가를 처음 만났습니다. 법률신문 의약 전문기자인 부산지국장이십니다.

교통사고로 두 다리를 잃고 의족에 의존하시며 생활합니다.

긍정적 사고로 똘똘 뭉친 김철수 작가의 열정을 보면서 지체 장애를 안고 크지 않은 체구 어디서 저런 긍정의 힘이 나올까 궁금했습니다.

매사에 적극적이고 긍정적이며 불가능은 없다는 신념은 어떻게 형성되는 것일까 궁금하기도 했습니다.

어쩌면 신체장애가 정신적 반사운동의 힘으로 작용하여 긍정의 힘으로 표출되는 것은 아닐까 생각되기도 합니다.

정상적인 신체를 가지고도 정신적 장애를 가진 많은 현대인과 비교되면서, 신체장애는 장애가 아닐 수도 있다는 생각과 정신적 장애가 치명적인 장애가 될 수도 있다는 생각을 하게 됩니다.

김철수 작가는 성공그룹 단체 카톡에 하루도 거르지 않고 글을 올리시고 계신 데 이런 열정은 어디서 오는 것일까 몹시 궁금하다.

일 년 삼백육십오일 하루도 거르지 않고 글을 올리시는 것도 쉬운 일이 아니지만, 글 내용도 만만치 않습니다.

건강, 의약 분야를 비롯하여 근, 현대사를 넘나들며 예리한 관찰력과 합리적인 비판을 토대로 작성된 주옥 같은 글을 보면서 김철수 작가는 이 시대의 모범적인 지성인이라 생각합니다.

이러한 글을 모아 출판을 하게 됨을 진심으로 축하드리며, 기대와 함께 조속한 출판을 기다립니다.

<서문>

해처럼 밝게 살면서

세상에 태어나서 모진 풍파를 겪은 후 작가가 되어 첫 "칼럼집"을 "순산" 합니다.

어지러운 세상에서 바위틈에서 자라는 난쟁이 소나무처럼, 근면한 개미처럼, 신대륙을 발견한 콜럼버스처럼, 250명 법칙을 창안한 미국의 판매왕 "조 지라드"를 꿈꾸며 아슬아슬하게 나그네 같은 삶을 누려왔습니다. 묘한 숫자에 감탄합니다.

제약회사(영업부 기획부 학술부)에서 "22년간" 근무했고 현재 법률 기자로 "22년" 근무하고 있으며 무보수 재능 기부를 하고 있습니다

저도 늦깎이 일반기자 차장기자 부장기자 대기자 논설위원까지 숱한 눈보라 취재를 하며 "인생 2막" 살아왔습니다.

이제 "다큐 작가"로 남은 삶 인생 3막의 무대로 뛰어오르며 세상에서 가장 긴(연재 칼럼) "글 유튜버"를 1년 4개월째 하고 있습니다.

매일 연재하다가 2021년 12월 초 제목을 "그냥 이야기"로 첫사랑 감미로움에 취한 채 세상에 선보입니다

저는 사법고시 행정고시 방송 통신 학생 독학생 등 연수생들을 존경합니다. 왜냐하면, 너무나 오랫동안 "공부와 연구의 늪"에 빠져 있기 때문입니다.

특수언론인, 의약 전문기자, 환경 전문기자, 법률 전문기자, 역사 전문기자(한국사, 동양사, 세계사, 인류민족사등)로서 시간이 허락할 때마다 신문잡지 스크랩하며 "44년간 공부"는 현재 진행형이라 봅니다.

해외 동포 800만 명, 가족을 포함한 해외 선교사 50만 명 중 많은 사람이 제 글을 읽고 계셔 단 하루도 빠지지 않으려고 노력하고 있습니다.

이 책을 동아일보 김순덕 대기자와 이정훈 기자에게 증정하려고 합니다. 김순덕 칼럼을 즐겨 읽기 때문입니다.

그래도 우리나라에는 사법 정의가 살아있습니다. 현재 일부 법조인들이 문제이지, 사법부는 "정의를 향하여" 앞만 보며 질주하고 있습니다

비록 무명 언론인이지만 2008년 6월 24일 <기자대상>을 받아 가문의 영광으로 삼고 있습니다.

베스트 셀러 이철환 작가(<연탄길> <골목길>)가 간증할 때 취재기자로 동행하였는데, 그분은 간증 전엔 "낮엔 해처럼" 부르고, 간증 후엔 "달리다굼"을 불렀습니다. 성악가 가수는 아니지만 자신감을 갖고 부릅니다.

날마다 연재, 이는 나와의 약속입니다.

지구촌 이야기인 "그냥 이야기"를 칼럼(논평 평론 논설 칼럼 등) 식으로 독자 구미에 맞게 정성을 다했습니다.

갑자기 어머니의 "뚝배기 된장찌개"가 생각납니다. 제 생명이 끝나는 날까지 글을 최선을 다해 써보려고 합니다.

Part 1

코로나 19 매일 묵상

역사 이야기

필마로 돌아본 500년 600년 700년 1000년 그리고 250년 역사

무슨 숫자일까? 우리나라 "보전 역사 숫자" 아닌가? 백제 600년, 고구려 700년, 신라(가락 포함하여) 1000년, 발해 250년, 고려 500년 조선 500년, 기타(일제 통치 등으로 인한) 50년.

이 숫자만 봐도 한반도를 둘러싼 만주 일대의 여러 국가의 흥망을 알 수 있다.

그런데 여기서 신라 건국이 불확실해 보인다.

알에서 태어났다?

박혁거세, 김알지, 김수로, 인도에서 온 허황후, 문무왕 유언 등등 천년 사직 신라가 왠지 수상하다. 그래서 우리는 이것을 "역사의 비밀"이라 한다.

고구려 백제 부여국(동부여 북부여) 발해는 현실 역사이고, 신라는 왜 건국 신화일까?

그리고 진시황제가 왜 흉노족이 자기네 민족이라 흘렸을까?

미스터리가 아닐 수 없다.

게다가 북방민족이 사용하는 "물독"(말에게 물을 먹이는 가죽 물통)이 어떻게 신라 가야 등에서 출토되었나 하는 거다. 그럼 김알지가 흉노족이란 말인가? 신라인의 정체가 점점 풀릴 듯하다.

"5국"(고구려 백제 가야 신라 발해)의 실체가 신화 아닌 "실존역사"로 그 미스터리가 점점 풀리고 있다. 기원전 왕망[1]이 멸망하자, 그 백성들이 흉노 땅에서 이주해 한반도 신라(新羅)에 정착한 것으로 보인다. 금제유물 말 옆의 식수용 가죽 물주머니가 한반도 남부에서 출토되자, 역사학계는 경악을 금치 못한다.

통일신라인들의 해상 활동(장보고)에서 보듯이, “신라 상인”들은 완도에서 산동 반도까지 갔고, 그곳에서 "실크로드"를 따라 중앙아시아 나라들과 교역하였고, 반면에 흉노족(유목민족) 등은 한반도 남쪽까지 와서 정착한 것 같다.

사극 드라마에선 수백 리로 묘사되지만, 수천 km까지 교역했던 우리 조상들이 더 존경스럽다.

고구려 신라 백제 고조선의 길인 "실크로드"로 많은 유목민이 신라에 정착(?)했던 증거가 신라 문무왕의 유언 등에서 발견됐고, 경주에선 "금관" 등이 출토된 것이다.

신라 건국의 비밀은 김씨, 허씨, 박씨, 석씨의 족보에서도 찾을 수 있다고 본다. 그래서 유목민족인 흉노족 김알지 연구를 계속하는 "지구촌 연구소 B"가 되려 한다.

---

1) 주: 왕망(王莽, 기원전 45년 ~ 기원후 25년 10월 6일)은 중국 전한의 관료이자 신(新)나라 황제

100년 전쟁의 영웅 잔 다르크

지구촌 생성 30만 년 문명창조 6,000년 어느 누구도 부인 못 하는 팩트다. 그리고 아무리 거슬러 올라가도 4~5천년 이상의 역사 흔적은 찾기 힘들다고 본다. 서쪽엔 히브리족 역사가, 동쪽엔 고조선족 역사가 "동서문명"을 발전시켰다고 할 수 있다.

이번에 만리장성 요하(遼河)에서 발굴된 유물이 고조선 문명이 확실해지자, 자기네 문명이라 생떼 쓰는 중국이 불쌍하다 못해 가련해 보인다.

한국과 중국은 "역사적 앙숙 민족"인 것처럼, 영국과 프랑스는 장미 전쟁(100년 전쟁)의 주역이었다. 우리는 이 전쟁을 "곰탱이 전쟁"(1세기 전쟁 미련한 전쟁)이라 부른다.

이 전쟁은 "영웅 잔 다르크"를 탄생시켰다.

18세 소녀 잔 다르크의 조국 사랑 리더십으로 프랑스군 사기를 진작시킨 "100년 장미전쟁"은 잔 다르크라는 의병을 영웅시한 역사라 해도 과언이 아니다.

세계 'G7' 국가 중 프랑스와 영국 전쟁사에서 잔 다르크 만한 소녀 장군은 없었다고 전쟁 전문가들은 말하고 있지 않은가?

난세의 영웅이 절실한 시대에 잔 다르크와 같은 영웅이 많이 배출되기를 바란다.

역사논평

우리 역사는 "삼국시대"가 아닌 "5국 시대"라 해야 한다. 고구려 백제 신라 가야 발해(한반도와 만주 전역)가 우리 영토임이 "오국사기"[2]를 통해 밝혀졌기 때문이다.

근데 일부 언론에선 가야(가락국)를 금관가야라고 호칭한다. 고조선 시대 전후하여 실크로드에는 "흉노족"이 존재하고 있었다. 이들 민족의 임금 왕관(크라운캡)이 오늘날 신라와 백제 지역에서 출토되었다. 경상도 김해 지역을 김수로(허왕후)의 "가야"로 부르던 것을 김해 대성동에서 "금관"이 출토되자 "금관가야"라고 했다가, 지금은 축소하여 가야라고 부른다.

역사의 흔적인 "고분"은 수천 년이 지나도 그 모습 그대로인 것이다. 2021년 부산과 기장군 사이의 고촌리(철마)에서 가야 시대 유물 10여 점이 출토되었다. 기장군도 부산권역이고 김해 인근 지역 아닌가? 고촌리 고분에서 출토된 유물은 기장군이 과거 김해 영토였다는 역사적 증거이기도 하다. 고령에서 김해에 이르기까지 임금이 썼던 왕관(금관)이 백제와 신라에서도 출토되지 않았나? 그런데 흉노의 왕관이 왜 신라 백제 가야에서 출토됐을까? 해답은 간단하다. 흉노 유민들이 한반도로 이동할 때 "금관기술"도 함께 와 주로 남부지역에 정착하지 않았을까? 전라도와 경상도에...

---

2) 주: '삼국사'를 넘어서는 '오국사'의 지정학. 『오국사기(五國史記)』, 이덕일 역사평설, <김영사>, 2002.

칠보 수력발전소 전투 이야기

1953년 판문점에선 휴전협정이 조인되고 남부에선 공비와 토벌군의 치열한 전투가 계속되었다. 이때 생긴 용어 "빨치산"(루마니아 특공대에서 따온 말).

1951년 한국전쟁 중 약 2만5천 명 남로당이 전라북도 전주 임실 완주 등에서 교란작전 펼칠 때 차일혁 토벌대 대장의 "진중일기"가 기록되고 있었다. 군사용어로 "토벌일지"라 할 수 있다.

군경합동 후방전투가 있던 당시 "제2 격전지(경상도 제주도 전라도)"로 흩어져 후방 교란작전을 일으킨 남로당(남부군) 총대장 이현상 부대는 막강했다.

북쪽 전선 밀리고 반격할 때 남부에서는 그래도 같은 민족이고 핏줄이라고 "칠보 수력발전소" 폭발은 하지 말자며 계약했다니 박헌영이 알았다면 이현상을 그냥 두었을까? 여기에 또 다른 이순신 같은 영웅이 있던 것이다.

칠보 수력 탈환하라!!

아군 75명 대 공비 2500명의 대결엔 차대장(중령)의 기묘한 전략이 있었다. 칠보 작전은 군차량 4대를 40대로 보이려고 캄캄한 밤 4대 트럭이 몇 시간째 발전소 부근을 왔다 갔다 하여 40여 대가 발전소에 집결하는 위장 작전이었는데 이것이 성공한 것이다.

공비들을 후퇴하도록 만들고, 다음 날 아군 본대(경비대)가 칠보 수력발전소를 수복한 기찬 제갈량 전술이라고 해도 과언이 아니다.

2500 대 75의 대결이었으니 오늘날 임진 전쟁 "명량해전" 승리와 같다고 볼 수 있다.

난중일기(1599년)와 진중일기(1955년).

세상에 알려진 두 영웅의 이야기는 우리의 마음에 새겼으면 한다.

작가는 한국전쟁을 "포말(formal) 전쟁"(보여준 전쟁)과 "인포말(informal) 전쟁"(숨겨진 공비와의 전투)으로 분류하고 싶다.

남부군 총대장 이현상의 시신을 그의 가족과 친척들이 인수 거부했을 때 차일혁 토벌대장이 징계받으면서도 장례를 치러 준 것 역시 영웅다운 모습 아닐까?

치욕스런 영국의 자존심

기원후 로마 해군력이 영국을 정복할 줄 누가 상상이나 했겠나?

로마가 멸망되기 300년 전에 영국은 로마에 정복당해 약 300년간 "속국 생활"을 했다. 우리의 35년 6개월은 눈 깜짝할 사이라 할까?

당시 로마는 전 유럽과 아프리카를 정복해 놓고 세계를 정복했다고 역사가들이 뻥튀기한 것이다. 인류 발생지 메소포타미아를 연구했던 로마 시대 철학자 역사가들의 저서에서도 동방을 정복했다는 알렉산더를 비평한 기록이 보인다.

모든 학문에도 참과 거짓이 있듯이 역사학에도 많다고 스승 임승국 박사님께 들은 바 있다. 그래서 식민사학과 중화 사학을 논평하는 "역사기자"로 활동하는 것이다.

십자군 전쟁 때 사자왕 리차드는 몇 차례 연합군과 예루살렘 정복을 시도했지만, 번번이 비탈길에서 미끄러지고 만다.

공성(수비하던 사라센들)의 저항이 약해져 거의 정벌될 즈음 본국에서 "반란"이 포착되어 긴급 귀국하는 바람에 십자군 전쟁은 실패로 돌아간다.

역사는 이것을 비탈길에서 벗어났다고 한다. 반란이 3개월 후 전개됐더라면 세계 역사지도가 달라졌을 것이다.

역사평론가는 아니지만, 간혹 "논평"은 한다.
역사계에선 건방진 기자라는 평도 듣고 있다.
어디서 "사사"(사법고시처럼 나 홀로 내공 전수받는 특별과외?)했으니 저놈 내공은 도대체 어느 정도일까 하고 비아냥거리는 사람도 많다.
역사학을 좋아하는 기자의 취재 포인트는 무조건 기록한다. 참이든 거짓이든 일단 소화시킨다. 되새김하면서 완전히 입력시킨다.
지금 원앙이 소리에서 다시 꺼내 강의하는 것이다.
사자 왕의 철군이 없었더라면 그때 마호메트교도 사라졌을 것이다.
이것을 우리는 "역사의 아이러니"라 한다.
로마는 대단하다.
바이킹이 정복했던 영국을 식민지로 만들었으니 대단한 나라 임에는 틀림이 없다.

중국 곱사리 끼지 마!

참 이상하다.

중국이란 나라는 북방 민족에게는 허약하기 짝이 없다.

고대국가 흉노족 거란족 돌궐족 동이족 만주족 여진족 몽골족 말갈족 특히 실크로드 국가엔 비실대는 화화족, 지나족이다.

중국 "삼국지"의 3국(위 촉 오) 중 조조의 위나라와 고구려(동천왕)가 자주 전쟁 벌인 것 빼고 사마천의 왜곡된 한국역사는 유라시아 역사에서 찾을 수 있다.

조조와 고구려 동천왕의 싸움은 거란 역사에서, 그 외는 돌궐 흉노 역사서에서 찾아냈다. 이들은 "고조선강역" 알고 있었다. 영토가 3만 리라는 것을…

지구촌 연구소는 각 나라 영사관 문화 부서에서 자국 중학교 역사 교과서를 구하여 선교사들에게 클라우드하고 번역을 부탁하려 한다.

멕시코 브라질 러시아 핀란드 우주베키스탄 터어키 카자흐스탄 몽골 베트남 미국 등등에서…

근데 어떤 분이 방법이 있는데 뭘 그리 번거롭게 해요? 뭘까? 무척 궁금하네.

2021년에 발견된 북미 남미 민족이 중국 민족이라고 구라를 친 중국 사가가 국제 망신을 당했다.

아즈텍(멕시코) 마야문명(남미 브라질) 미시시피강 등 고대 동이족 (고조선)의 문명이라고 증명이 됐는데도 자기네 문명이라 우기니 말이다.

중국 땅에서 발굴되는 문화재가 거의 동이족 것이라 보고 철조망 치는 중국 지나족들이다.

20년 전만 해도 멕시코 아즈텍 문명의 주인공들을 신석기의 유물이라 여겼는데 최근 미국 미시시피강에서 동이족 유물이 발견돼 미국 멕시코 브라질 고고학계에서 "동양의 동이족 유물이 맞다"고 했다.

인디언 인디오의 조상을 "동이족"이라 하자, 중국이 불끈 나섰다가 국제 망신을 당한 것이다.

역사 왜곡의 챔피언들인 일본과 중국의 역사는 까뒤집어 봐야 한다. 향후 더 깊은 연구가 필요하겠지만 유라시아(중앙아시아) 지중해 북유럽 소수민족(핀란드 폴란드 헝가리) 캄차카반도(축지반도) 만주 소수민족(박씨성) 러시아 소수민족 우랄 알타이 몽골족도 동이족일 가능성이 아주 높다고 세계역사학자들이 전하고 있다.

부탄 태국 고산지대 베트남 일부 지역 중국 내 묘족의 풍속이 우리와 똑같지 않은가?
문화와 언어가 비슷하면 "동이 고조선"으로 봐도 된다.

지구촌의 토픽 "유대인과 화교는 돈 버는 데는 명수이고 한국인은 문명 문화를 남기는 민족이다" 그래서 북미와 남미에서 여러 유물이 출토된 것이다.

만약 일본 어느 사찰에 숨겨둔 "유기(留記)"(진본 고구려 역사책)만 되돌아온다면 "고조선 실체"가 밝혀질 것이라고 백제사 임승국 박사님이 말씀하셨다.

일본은 하늘 같은 "유기"를 반환하라!

중앙 아시아국가들이 "단군"을 인정하는데 일부 사가

들이 인정하지 않는 것은 식민사관 때문이 아닌가?

일본에서 이번에 돌아온 "조선왕조실록"이 오대산 월정사 사고에 영구보관 되었다니, 실로 고마운 일이 아닐 수 없다. 7일 중 3~4번은 카톡으로 역사강의를 한다.

한국사 동양사 민족사 세계사 등 바쁜 인생살이지만 짧은 글에서 인문학 공부를 권한다.

유튜버가 아닌 카카오톡 공부라 여유 있는 시간대에 읽어보면 20대에서 80대 이상 어르신의 "역사 인식"이 달라지실지도 모른다.

지구에 거주하면 누구나 읽을 수 있는 독자가 될 수 있다. 멕시코 민족이 우리와 너무 닮았다고 생각되지 않나요?

김철수 작가가 찍은 원앙새 사진

혜경궁 홍씨의 "한중록" 눈물 나

조선 21대 영조, 22대 정조, 23대 순조 이야기가 『한중록』에 전한다.

뒤주에서 죽은 사도세자의 부인 혜경궁 홍씨의 80 평생의 행복과 긴 불행을 쓴 이야기의 주인공들을 무대 위에 올려본다.

영조가 죽인 사도세자와 그의 부인 혜경궁 홍씨 이야기이다.

여기에 미스터리가 있다.

역사는 사도세자가 당파에 휘말려 영조가 죽였다고 하지만 그럴 확률은 적다고 본다.

영리한 영조 때 극심한 당파 게이트가 없었고, 어의들의 사도세자 병환을 의논한 기록이 보여 혹 정신질환이 아닌가 의심이 된다.

오늘날도 정신이상자는 대통령이 될 수 없듯이, 조선시대도 마찬가지 아녔을까?

10살의 손자가 있으니 안심하고 제거한 것은 아닐까? 사실 당파 핑계 댔는지도 모른다.

조선시대 3명의 임금이 추앙했던 "상 대비마마" 사도세자의 부인이 60년간 시아버지(영조) 남편(사도세자) 아들(정조) 손자뻘(순조)을 수렴청정(세자가 성장할 때까지 대리 정치한다는 뜻)한 60년간의 일기 같은 자서전 "한중록"(승정원일기보다 역사적 가치가 높다). 21대 22대 23대 왕조의 "산증인"으로 친정의 영광과

몰락을 지켜보았고, 당파싸움에서도 굴하지 않았던 혜경궁 홍씨의 아들(정조) 사랑이 묻어 있는 왕가의 역사 일기 "한중록"에서 그 당시 진실역사를 엿보려 한다.
등장인물 중에 신사임당 이율곡 허균 일가 인수대비 영조의 사랑 "동이 이야기" 등등 혜경궁이 본 60년 비극사의 진실을 볼 수 있다.
80세로 삶을 마감했지만 우리는 "한중록"을 통해 진정한 왕가의 역사를 알게 된 것이다.
작가도 "역사 소설가" 되기 위해 매일 2시간 이상 지구촌 역사를 공부하고 있다.
그리고 1년 넘게 "매일 그냥 이야기"를 연재하고 있다.
향후 10년 넘게 집필할 스크랩이 있지만, 아직 활용할 생각이 없다.
여자의 일생을 담은 "한중록" 해설과 논평을 한 권의 책으로 엮고 싶다. 역사 전문기자의 "의무나 책무" 아닐까?
1800년 혜경궁 홍씨는 한 많은 세상에서 누리호를 타고 우주여행을 떠나 버렸다.
역사에 이름만 남긴 채...

최만리, 네 이놈 오래 살거라~

지금부터 500여 년 전 중년의 대군(나중에 세조가 됨)이 매일 저녁 이빨을 갈고 있었다.

"이놈들은 왜 형님의 한글 창제를 죽어라고 반대하는 건가?“

세조의 불만은 쌓여만 간다.

이것이 훗날 세조의 복수(?)가 된 것 아닐까?

이렇게 세종 식구들이 똘똘 뭉쳐 세계적 언어 유산의 쾌거를 이룩한 것이다.

중국 눈치를 보면서 한글 창제에 반대했던 집현전 학사 중 가나다라마바사 하나하나 연구를 도운 신숙주를 나중에 역사는 간신으로 내몰았지 않는가?

그래서 "역사의 논평"이 필요하다고 생각한다.

한국의 12인 대통령 전기보다는 논평분석이 필요하다.

기자는 잘못 인식된 역사 논평가를 논평할 줄 알아야 진정한 "역사 전문기자"라 할 수 있다.

매년 10월 9일은 "한글날"이다.

당뇨 환자였던 뚱뚱한 세종은 10년 가까이 우리를 위해 집현전의 반대에도 불구하고 밀어붙여 "훈민정음 창제"라는 위업을 달성했다.

1등 공신은 정의공주와 세자(나중에 문종)이고, 2등 공신은 세조, 3등 공신은 신숙주(고조선 가림토 문자 전문가) 등으로 볼 수 있다.

결사반대자 집현전 학사들(성삼문 외 6인)은 훗날 세

조가 집권하자, "노량진 참사(사육신 처형)"를 당했다. 지금도 노량진 바람 소리를 돌풍 소리라 한다. 진짜일까?

조선왕조 27대 논평집 "그냥 이야기" 속에서 들춰내고 있다.

'지구촌 연구소 B'의 의무이자 책무라 본다.

한국 언어학에서는 "세종이 고조선 문자 가림토(28문자)에서 참고한 게 아닌가 하고 의심한다. 만일 그렇다 해도 위대한 연구 아닌가? 일본에서 발견된 고대문자(오래된 비석)에서 가림토 문자가 발견됐다. 이걸 어떻게 설명할 건가?

세계의 소리글 "한글의 위대성"을 지구촌 연구소에서는 지속적으로 홍보할 것이다. 세조의 평론에서 '+' 점수를 주면서...

마의태자의 설 설 설 전설 아냐!!

후삼국 전쟁 후 신라 경순왕은 신라를 고려 왕건에게 넘기고, 왕건의 신하가 되었다. 김춘추의 삼국통일의 야망이 그 죄값이 신라 멸망으로 돌아왔다. 후세 사람들은 복수의 하이에나 중국과 손잡은 김춘추와 김유신을 "성토 원망"한다.

외세를 끌어들여 고구려와 백제를 망하게 한 대가가 바로 "신라 멸망"이다.

지구촌 연구소 역사부는 경주를 떠난 경순왕 일족을 "가상 취재"를 해보았다.

마의태자는 금강산에서 초식으로 연명하며 살다 죽었다.

속초 설악산 권금성에서 생을 마감했다는 것이다. 인제군에 생을 마감한 무덤도 있다. 2011년 작가가 속초(양양 고성 인제) 주재 기자 생활할 때 양양군 설악산 동리에서 40년째 살았던 김철우 씨의 증언을 들은 적 있었다. "바둑아! 인제 신남 부근에서 아주 오래된 묘를 발견했다는데 아무래도 마의태자의 묘 같아. 한번 조사해 봐야겠어."

산속의 고무덤 역시 마의태자였다. 후일 동네 주민들이 제사 지내고 있다고 한다. 나라 잃고 경주에서 강원도 산골까지 온 마의태자의 전설은 진짜 역사였다. 아버지 경순왕은 연천 근처에, 아들 마의태자는 강원도에 잠들고 있다. 가슴이 오싹해진다. 마의태자의 전설은 역시 "역사" 였다.

내 고향의 전설 불여우 고개

경상북도에서 충청도로 가려면 반드시 문경새재를 넘어야 했다.

부산에서는 경주 안동 영주를 거쳐 문경새재를 넘어야 원주 이천 광주 성남 지나 한양에 도달하게 된다.

문경새재 직전에 "여우고개"가 있는데 낮에는 넘되 밤에는 10인 이상 뭉쳐 횃불 들고 넘으라는 문경현감의 글귀가 새겨진 팻말이 있다.

간 부은 칼잡이 포수들이 주막집 주모 말을 안 듣고, 밤에 여우고개를 넘다가 벌써 50여 명이 죽은 것으로 소문난 고갯마루였다.

어느 날 보검 찬 무사가 시종 데리고 주막에서 국밥 먹고 여우고개 넘는다고 해서 주막 여씨가 극구 말렸지만, 무사 일행은 밤길에 여우고개를 넘는다.

"쯧쯧 또 시체 2구 생겼구먼."

주막 여씨는 혀를 차면서 안타까워했다.

아니나 다를까 고갯마루에 다다랐을 때 웬 여인이 나타나 밤이 깊었으니 자기 집에서 자고 아침에 떠나라고 했다.

무사는 절세가인 여인을 보자마자 마음이 동해 의심을 풀고 여인을 곧장 따라갔다. 깊은 산속의 아담한 기와집으로 따라간 무사와 시종은 탁주와 고깃국을 다 비웠다. 무사가 졸음이 쏟아져 사랑방에 누우려는 찰나에 불현듯 시종의 비명소리가 들려 벌떡 일어나 칼을 잡고 뛰어나가니 백여우가 시종의 창자를 꺼내먹는 것을 발견했다.
"이 요망한 여우야! 내 칼을 당장 받아라" 하며 단칼에 여우 허리를 갈랐는데 공중으로 뛰어오르는 바람에 꼬리만 잘린 채 백여우는 사라지고 집도 온데간데없이 사라졌다.
무사는 밤새 걸어 충주 관아에서 충주 감사를 만나고 급히 문경새재 주막집에 들렀더니, 엉덩이에 베를 칭칭 감은 주막집 여씨가 반갑게 맞아주었다.
"반갑소이다. 아니 근데, 주인장 허리를 다친거요? 아님 엉치를 다쳤소?"
"엉덩이 꼬리뼈를 다쳤어요."
"엉덩이 말이오?"
바로 그 순간 무사는 칼을 뽑았고, 그 여씨도 공중으로 뛰어 올랐다.
"두 번 실수는 없다."
무사는 회심의 미소를 지었고 여씨는 그 즉시로 사라졌다.
그다음 날, 오전 동네 사람들이 지게에 여우시체를 싣고 주막으로 왔다. 허리가 반쯤 잘린 여우였는데 꼬리도 없었다. 동네 사람들이 "꼬리 없는 여우네"라며 수군거렸다.
100년 묵은 불여우가 주막을 차려 놓고 밤에만 인간 사냥했던 것이다. 조선 명종 임금 때 경상도와 충청도 경계선에서 일어난 "여우 사건"이라 한다.

다른 민족을 모르면서 역사가인 척?

일치감이 엿보이는 "2가지"가 있다.

법무법인 율촌의 "지구본 연구소"와 법률 기자가 운영하는 "지구촌 연구소B"가 각각 유튜브와 카톡 글로 2020년에 첫선을 보였다.

2016년 새해 "정가와 손가의 정치 분석 유튜버"가 시작되면서 한국에 유튜버들이 밤하늘을 별처럼 수없이 수놓았다.

한국 유튜버의 원년은 2016년 박근혜 대통령 탄핵 시기부터라고 할 수 있다.

이때 세월호 사태 시리아 난민 사태 북한 목함 지뢰 사건 경북 형사 살인 사건 대통령 탄핵 사건 등 국내외 정세가 요동치다가 2019년 12월 중국의 코로나 공포를 지구촌에 퍼뜨린 것이다.

2년이 지난 지금 아프리카 남미 등 독재자들이 아직 활용할 뿐 거의 중국과 WHO의 농간에 지구촌이 놀아났다는 증거가 속속 터져 나오고 있어 네덜란드 국제 형사 재판소가 바빠질 듯하다.

근데 참 신기한 게 있다. 모래바람 황사 스콜 지역(매일 그 시각에 내리는 비 또는 우박 고산지대)의 코로나는 그냥 감기였을 뿐이었다. 미국이 심각한 척하니까 지구촌이 떠들썩했으나 중국 우한시도 멀쩡하지 않은가? 아차!! 세계 민족사 강의시간인데 그놈의 코비드(Covid 19) 때문에 삼천포 서귀포로 빠져 버렸네.

민족사에 대한 "특별과외(?) 사사" 받은 기자의 전문 지식을 아무도 인정해 주지 않지만 1년 가까이 민족사에 대한 글을 연재하고 있다.

학문은 자랑하면 강단에 서기 힘들 것이다.

작가가 한홍구 박사의 "역사논평"을 좋아하는 건 기자와 뜻이 맞지 않기 때문이다. 이해가 안되는가?

논설(사설 논평 평론 논단 등)을 논평자의 잣대로 재봐야 한다.

예를 들면 한국전쟁 때 왜 한강 다리를 폭파했나? 이승만이 살기 위해? 이게 논설인가? 괴설인가? 그때 이승만이 한강을 건너지 못했다면 지금 우리는 세계 200등 나라로 살고 있을 것이다. 한홍구씨 논설대로라면... 그래서 이 책을 좋아하는 것이다. 역사는 책임이 없다.

이런 논설이라면 그 책은 꼭 사봐야 한다.

지구촌 연구소B 독자 6,000명 중 1,000명이 내용이 길다고 나가기도 했다. 이런 기회 아니면 역사 공부할 수 있을까?

세계 민족을 알면 국제정세가 보인다고 한다.

아프간 민족 소합중국 아닌가? IS가 3,000명으로 아프간에서 신생국을 세워 보겠다는 야심(?)을 또 드러내고 있는 것 같다. 오늘의 강의는 국제정세 전문가 되려면 "세계 민족사"를 연구해야 논설 등을 쓸 수 있다는 것이다. 김철수 논설위원(다큐 작가)의 글(그냥 이야기)은 매일 읽을 수 있다. 지구촌의 모든 이야기를 주워 담으면서...

한글과 사대주의자들

조선 건국 이후 사대주의자들은 태종 이방원이 죽자, 일제히 고개를 쳐들기 시작한다. 이들의 첫 번째 반항이 "훈민정음 결사반대"였다. 중국의 눈치 본다나? 오늘날 친중파들이라 꼬집을 수 있다.

세종이 모질지 못해 그대로 두었지만, 세조가 후일 단종을 옹위하는 집현전 학사들(사육신)을 노량진 모래사장에서 참혹하게 죽인다. 한글 반대 억하심정 겸하여 성삼문 하위지 박팽년 등을 사형시켜 버린다.

한글날마다 순흥안씨 가문은 족보를 깐다. 세종의 둘째 정의공주 시댁이 순흥 안씨 가문이기 때문이다.

당시 사대주의자 명단이 족보에 있어 소중한 한글 자료로 남아있다고 본다. 『삼국사기』의 저자 고려사람 김부식은 철저한 친중파였다. 다행히 스님 일연의 『삼국사기』가 등장하여 신화로 푼 역사를 남겨준 조선총독부의 간교함도 엿볼 수 있다.

역사 조작의 명수들인 일본과 중국을 배타하는 몽골 만주 유라시아 헝가리 폴란드 터키까지도 중국 26사를 비하한다. 고조선 역사를 말살시켰다고 말이다. 원흉은 바로 일본 식민사학과 중화 사관이다.

샌드위치 한국역사는 왜곡 역사와 조작 역사 사이에서 용케도 살아남았다. 남쪽은 제주 바다, 북쪽은 만주 송화강까지 우리 땅인데, 일본은 지진으로 영토 보존이 힘들 것 같다.

개천절은 "고조선 건국" 연도 맞나?

"비교 역사 연대별로 본 세계역사"에서 지구촌 과학 나이는 대략 30~35만 살, 인류연대는 약 6000년, 고조선 나이는 4354살, 서기는 2021살, 중국 나이는 믿을 수 없고, 일본 역사는 조립 나이고, 우리 역사 나이는 4354년이다.

오늘이 개천절인데 이것도 중국 눈치 보나?

중국이 "상고사"를 지웠다.

은나라 하나라 삼황오제를 자기네 역사라고 구라쳤다가 슬그머니 주나라 무왕을 중국 시조라 한다. 그러니 한국보다 짧은 역사를 갖게 된 것이다.

BC 2333년 동방의 한반도와 만주 일대는 "단군 왕검"이 "고조선"이란 나라를 세운 날을 우리는 "개천절"이라 한다.

지구촌에는 알지 못하는 사람들이 세운 나라도 있지만, 국가로 인정받지 못하고 있다.

일반인들은 단군을 사람의 이름인 줄 아는 데 아니다. 왕이란 뜻이다.

그래서 단군왕검 단군부루라 존칭한다.

식민사학이 인정하지 않는 "단군세기"(고려 때 저술역사서)에 의하면 단군 40여 대까지의 기록이 있는데도 중화사관 식민사관 현재 역사관들이 인정하지 않는 것이다.

일본은 자기네 역사를 창작하는데도 우리는 사실 역

사를 부정하는 괴상한 민족이 아닐 수 없다.
우리나라 시조 "단군왕검"을 기념하는 날의 기념사가 궁금하다. 2333년 전, 단기로는 4354년 오늘 "개천절"을 축하한다. 우리의 땅을 되찾고 고조선 고구려 문명을 되찾는 그 날까지 "지구촌 연구소 B"는 계속 보도에 최선을 다하려고 한다.
"고조선 만세!"

박빛나, <흘러가다 보면>

전설따라 실크로드따라

세계의 길을 연구해보면 재미있다.

로마의 길 이전에 "흉노의 길"이 있었다.

흉노족은 지금의 중앙아시아와 고조선 중국까지 침략했던 투르크족의 선조로 용맹성은 그 어느 민족도 따를 수 없었다.

그래서 그들을 "타라스족"(대장이란 뜻)이라고도 한다.

흉노족을 중국식으로 분석하면 안된다.

그들은 유라시아 민족인데 중국풍 역사로 해설하는 분들이 많아 제대로 배워야겠다.

고조선에 협력한 흉노족 사마천은 사기에 될 수 있으면 고조선 역사를 뺐다. 왜 그랬을까?

자기네 시조가 "동이족"(고조선)이기 때문에 감춘 역사인데 한술 더 뜬 식민사학이 완전히 말살시키고 고조선 자체를 공중분해시킨 것이다.

흉악범들이 아직 대학에 남아있다. 고구려 역사서 "유기"만 일본서 돌아온다면 "고조선 실체"는 드러날 것이다. 그래서 역사드라마 "조선의 힘 임진전쟁"을 집필하려 한다. 논픽션과 픽션의 대조화인 이 작품이 2022년에 출간되면 영문판으로도 만들어 지구촌 국가(220개국) 도서관에 기증할 예정이다.

일본 민족이 지진 화산폭발 쓰나미로 인하여 나라를 잃고 시베리아로 강제이주 될 장면을 상상만 해도 정말 눈물겹게 느껴진다.

우물 밖에서 본 한국역사는?

단군왕검 전후의 역사를 감안할 때 약 5000년 되는 광활한 만주 전 지역 만리장성 동쪽 아사달에서 쏟아져 나오는 유물을 중국은 자기네 조상의 문명이라고 했다가 2021년 현재 망신을 당하고 있다.

세계 문명 순위가 바뀐 것이다.

메소포타미아 이집트 인디아 고조선 황하 문명 순으로 말이다.

일제시대 식민사관 중화사관으로 "지워버린 고조선 역사"가 부활한 것이다.

왜곡의 명수 일본과 중국의 문자는 고조선의 가림토 28자에서 형성되었음이 밝혀지자 당황하고 있지 않은가?

지구촌에는 뻔대민족(뻔뻔스런 민족)이 남의 문명을 자기네 문명이라고 우기는 나라들이 있다. ‘ISIS’ 같은 인종은 시리아와 아프간를 자기네 나라로 만들려고 노력하지만, 아직 소수민족으로 쫓겨다니고 있다.

지구촌의 부랑아 ‘ISIS’ 같은 이슬람에게도 배척받아 중동 유럽 동아시아까지 넘보다가 아프간에서 겨우 3,000명 무장단체로 남아있을 뿐이다.

역사는 우물 안과 우물 밖으로 구분된다.

한국역사도 마찬가지라 본다.

한국사가들은 말한다. 우리가 외침을 많이 당했다는 것이다.

그런데 공부하고 보니 과장된 걸 알았다. 약간의 뻥튀기로 우리 전쟁사를 논한 것 같다. 우리는 이것을 우물 안 역사라 한다.

여진족 연구하면서 그들도 우리 민족(고조선의 후예)이라는 걸 알게 되었다. 세종 이전에 그들은 함경북도에서 살았으니까 말이다.

언젠가 제약회사 동료가 물어왔다. "김 소장 출장 오면, 왜 방에서 공부만 하냐? 같이 고스톱이나 삥바리(트럼프)하면 좋잖아?" 라는 잔소리 들으면서도 역사탐구에 빠져들었다.

그 친구가 이번에 추천사를 써준다고 했다.

"그냥 이야기" 지구촌 역사를 칼럼 논평식으로 엮었다. 오랫동안 신문에 연재했던 이야기도 있다. 역사 전문 기자는 매일 지구본을 돌리며 지구촌 구석구석을 다닌다. 그리고 "역사"를 끄집어낸다. '엑기스' 자료가 아닐 수 없다.

이제는 우물 안 개구리가 아니다.

책이 출간되면 우물 밖 개구리가 된다.

그것도 글로벌 작가로 미국 프랑스 독일 일본 호주 뉴질랜드 등으로 책을 출간하려고 감수 교수(번역)에 의해 영문 번역하여 지구촌에 알릴 것이다.

이날을 위해 한국사 동양사 세계사 지역 사회학을 공부할 때 전문 역사인 "인류 민족사"를 연구했다. 사법 행정 고시생처럼...

지금 판검사 변호사들 가운데 거의 고시촌 출신들이 많다고 본다. 뚝심 결기가 꽉 찬 분들이다.

대선후보들 90%가 법조인 아닌가?
하긴 하버드대 유학생 중 아직 한국에서 두각 나타내는 정치인을 못 보았다. 잘못 본 걸까?
이제 우물 밖 다큐작가로 "지구촌 역사"를 알리는 "알림지기 역사 연구원"으로 활동할 것이다. 다행인 것은 지도 스승은 계셨어도 선후배가 없어 누구를 막론하고 "논평" 할 수 있는 장점을 십분 발휘할 것이다. 모바일 핸드폰(원고판)이 고마울 따름이다.
이제 잃었던 기억력을 모두 찾은 것 같아 기대가 된다.

실책자 부산포성 정발장군

부산에는 바위섬 "동백섬"이 있고 사람들이 "인산인해"로 살고 있는 "영도 섬"이 떠-억 버티고 있다.

1592년 "임진 전쟁"이 발발한 4월의 봄 영도 산야는 온통 사슴 노루 등 각종 야생동물의 천국이었다. 과거 고갈산으로 불리기도 한 봉래산 정상에 오르면 부산포(초량 부근) 해운대 부산 일대가 한눈에 들어온다. 또 쾌청한 날씨엔 쓰시마(대마도)가 희미하게 보인다. 이런 우리 땅 대마도를 눈뜨고 포기한 태종과 세종의 역사적 실책을 꼬집어 본다. 두 번의 기회 놓치고 만 태종과 세종이 부끄럽고 집현전 학자들은 더더욱 부끄럽다. 중국의 눈치 보느라 "한글 창제"를 결사반대하다가 후일 노량진 강가에서 형장의 이슬로 사라진 "사육신"은 모두 집현전 학자들 아니었나? 역사는 그들을 칭송했지만 순흥 안씨 족보엔 집현전의 한글 반대에 대해 소상히 기록돼 있어 그 증거가 남아있다.(세종의 딸 부마 - 순흥 안씨)

임진문화전쟁의 실책자 "정발"의 우둔성을 규탄한다. 막을 수 있었던 전쟁을 실책으로 황폐화시킨 그자의 동상을 철거하는 것이 마땅하다. 1592년 오후 3시경 한 잔의 막걸리가 그의 판단력을 흐리게 했을까? 그날 저녁 "화공술"로 왜선 700척을 부산포에 수장시켰더라면 역사는 달라졌을 것이다. 실책자"는 절대로 용서해서는 안 된다고 본다.

조선과 몽골 관계론 역사자료가 별로 없다

몽골이란 나라가 무서웠다고?
중국을 통치했다고?
전 유럽과 전 아랍국에 공포를 뿌린 나라라고?
칭기즈칸의 대제국 건설에는 "강령과 화해"가 있었다. 당근과 회초리 전략이랄까?
13세기 역사 주역은 몽골 고려 중국이라 할 수 있다.
중국과의 막상막하의 대결에서 끝내 무승부 역사를 일궈낸 고려는 역시 고구려 정신을 이어 받았고, 고구려는 고조선의 "뚝심 정신"을 이어받았다고 생각된다.
요동땅을 지켜라!
몽골의 접근을 막아라!
이제는 고려가 아니다. 조선의 힘을 보여주겠다. 여진족 몽골족은 감히 말거라! 태종도 세종도 "6진 구축"에 힘을 모았던 것 아닌가?
몽골의 칸이 바뀔 때마다 조선 침공을 꿈꿨던 몽골은 끝내 소수민족으로 전락하고 만다.
2021년 7월 국제정세를 보라!
옛날의 부귀영화 누렸던 국가치고 "G7"에 가입된 나라 있나 없나 보라. 없다! 또 독재국가 공산국가치고 잘사는 나라도 없다고 본다. 이유는 단순하다. 주민이 잘살면 통제가 어려우니까. 하지만 "문화와 문명의 둑"은 무너지게 되기 때문에 비참하게 살아가는 것이다.
독재국가는 지도자 마음대로 나라를 운영하는 국가를

총칭하는데 지구촌 220개국 중 독재국가는 약 20여개국 뿐이다.

사실 그런 나라들은 지구촌의 밉상이 되어 힘들게 살아가지 않는가?

몽골 유목민들의 후예들로 22세기에도 희망없이 살아가는 민족이 예전에 조선과 맞짱 뜨려 했다니 착각이 아녔을까?

세종의 6진 정책 주적이 여진족이 아니라 바로 "몽골" 이었다고 본다.

첫 전투 첫 승리 경남 진동 전투!!

오늘은 두 번 다시 기억하고 싶지 않은 "한국전쟁" 71주년이다.
육이오(6.25)둥이가 벌써 만 70세가 되는데 그 당시 군인들은 사망했거나 90세를 훌쩍 넘겨 장수하고 계신 분들이다.
1914년 세계 제1차 대전 때 히틀러는 육군하사계급이었고 세계 제2차 대전 땐 독일 총통이 되었으니 어찌된 걸까?
유럽을 점령하겠다는 야심을 드러낸 독일과 이를 막겠다는 영국 프랑스 미국 등 연합군의 반격이 실로 만만치 않았다.
이때 "노르망디 상륙작전"에서 영국의 몽고메리 장군 미국의 아이젠하워 장군 사막의 여우 독일의 롬멜 장군이 세계전쟁사의 영웅이 된 것이다.
1950년 7월 초 북한군 제6사단이 전북을 거쳐 진주로 인민군 제7사단이 전남을 점령하고 진주로 향하고 있을 때 미군 제25사단은 부산포 상륙하여 대전으로 미군 제27사단은 마산 "진동 초등학교" 교정에서 비상야영을 하면서 제6사단과 대치하게 된다. 이것이 한국전쟁의 운명을 결정할 줄 누가 알았을까?
진주의 인민군 제6사단 마산의 미군 제27사단의 첫 전투 "진동대전".
북한군 제6사단의 특공대(30여대 트럭)를 포격하여

진주로 철수시킨 미 군 제27사단은 진주에서 인민군 제7사단을 기다리던 제6사단이 미군 제27사단의 화력에 눌려 "3일간" 발이 묶인 틈을 타 연합군들이 속속 부산 상륙에 성공할 수가 있었다.

만약 인민군이 마산을 점령하고 김해에 포진지 설치해서 부산포로 상륙하는 유엔군을 포격했더라면, 한국전쟁은 어떻게 되었을까?

이를 막아낸 미군 제27사단이 "한국"을 위기에서 구해낸 "신의 한 수"로 여겨진다.

금쪽같은 3일간에 대한민국을 구해낸 사실로 인하여 인민군 제6• 제7사단장은 후일 처형되고 말았다.

그 3일 72시간 때문에…

아찔했던 "진동전투" 제6사단보다 한발 앞선 미군 제27사단 맥아더 원수의 회고록에서 "진동학교"가 대한민국을 구했다고 기술하고 있다.

오늘 "한국전쟁" 71주년인데 광주를 점령한 인민군 제7사단이 거북이가 됐는지 지금도 미스터리가 아닐 수 없다고 한다.

프랑스 마지노 전선 같이 최후의 낙동강 전투 인천 상륙작전이 제2차 세계대전 노르망디 상륙작전보다 전쟁사에서 칭송된 사실을 우리는 기억하고 있지 않은가?

간발의 차이로 미군 제27사단이 진동에서 인민군 제6사단을 묶어두지 않았다면 한반도는 과연 어떻게 됐을까?

생각만 해도 아찔하다.

맥아더의 신의 한 수 "마산에서 적을 막아라."
"유엔군 상륙시켜라."
이 명령이 2021년 한국전쟁사를 빛내야 하는데 아는 국민이 별로 없는 듯해 원앙이 기자가 기사화했다.
승전보 제1호 "진동 대첩"
진동초등학교에서 아침식사 중 비상 걸려 인민군 제6사단 척후병들을 괴멸시킨 진동 전투의 수훈갑 미군 제27사단이 기억난다.
인민군 트럭 30대가 불타는 장면도 보이는 듯하다.
우린 "그래도 잊으면 안 돼! 그 날을…"

이성계는 여진족 아니다

조선 개국에 대해 시비를 거는 식민사관과 똘마니 후예들 그리고 나막신 인종들이 있다. 지금도 홋카이도 가면 나막신 신고 다니는 일본인이 종종 보인다고 한다.

일본 중소도시는 옛날 우리나라 7-80년대 농촌 마을과 비슷하다. 하꼬방? 봉천동 삼양동 미아리고개 등등 여기 사는 사람들 소재로 쓴 다큐가 바로 "연탄길" 아닌가?

이철환 작가와 삼양동 고개길 연탄재 보면서 비웃던 게 생각난다.

기자와 무명작가가 산등성의 집을 스케치하면서 "이 작가, 이런 소재로 밥이나 먹을 수 있을까?" 하니 웃으면서 "기자님두 다큐 작가 되실래요?" "노우! 소설가라면 모르지만..." 그때 비웃던 걸 지금 후회하고 있다.

전주 이씨 이철환 작가와 그때 나눈 이야기가 오늘 원앙이 소리의 주제라 볼 수 있다.

이성계의 가문은 오래전 고조선 부여 고구려 고려로 선대가 이어졌고 만주 지역과 강원도 양양에서 살다가 전주에서 터를 잡게 되면서 이씨 가문이 형성되었다 한다.

이성계가 젊은 시절 양양에서 무술과 활쏘기 훈련을 했다 하니 아마도 설악산 정기를 받은 듯하다.

어떤 사학가는 이성계 조부가 만주에 살았던 전례를 들어 무조건 여진족이라 하는데 잘못된 생각이고 식민사관의 왜곡이라 할 수 있다.
세계 어느 나라든 "건국 신화"는 있지 않은가?
조선 건국 신화 태조 이성계의 신화도 많다.
더구나 수천 년 흐른 "한강"(남한강과 북한강)엔 숱한 역사가 서려 있다고 본다.
고조선(왕검 단군) 고구려(고씨) 가야(김씨) 고려(왕씨) 조선(이씨) 그 외 발해는 대조영 등 신라와 백제는 혼합 성씨로 역사에 등장한다.
고려 말기 "위화도 회군 전쟁"은 이성계의 야심이라 보기는 힘들 것 같다. 명나라에 도전할 고려 입장이 아니었고, 국운이 기운 고려가 명의 땅 요동을 뺐는다? "조선 왕조실록"을 "이씨 조선"이라고 쓴 역사가는 일본인 아닌가?
당연히 왜곡의 칼날을 들이댔다고 보는 것이다.
특히 위화도 회군 사태는 공민왕의 장인 최영 장군이 이성계를 "사지의 땅" 요동으로 보냈다는 일부 논평도 있다.
어쨌거나 이성계에게 기회를 준 최영 장군은 요동을 정벌하기로 결정한 죄를 엄중히 물어 처형되고 말았다.
세계 각국 멸망기를 보면 거의 "정치 부재"로 인해 역사에서 사라진 것이다. 세계 정치가들 각국 멸망 역사를 꼭 읽었으면 한다. 그때 요동 땅을 빼앗고 오늘까지 영토를 지켰더라면 고조선 고구려의 영토 만주가 대한민국으로 명시될 수도 있었다.
원대한 꿈을 지닌 강국 고려가 왜 망했을까?
왜 요나라(몽골) 야율아보기가 생각날까?

단군 동전을 기념주화로 발행한 국가

대한민국은 이해가 안 되는 나라로 전 세계에 소문나 있다.

"카자흐스탄"은 지구촌 220개국 중 9번째로 면적이 큰 나라인데 고려 민족이 섬기는 "단군"(고조선의 단군들)을 기념하는 주화(동전)를 발행해 세계의 이목을 끌고 있다.

과거 일본이 지우고 중국도 인정하지 않는 한반도와 만주 송화강 유역(옛 고조선 부여 고구려 영토) 거대한 제국을 식민사학과 중화사학이 "말살시킨" 우리 시조 "단군왕검" 아닌가?

어찌 우리 역사학계에서 외면한 고조선을 5만리 떨어진 유라시아 국가인 카자흐스탄이 단군을 섬기냐는 거다.

1937년 일제 강점기에 연해주에 살던 우리 민족(고려인) 약 20만 명을 카자흐스탄으로 강제로 이주시킨 스탈린의 속셈이 2021년도에 그만 들통이 나 버렸다.

소련과 일본이 독일에 대항할 때 혹시나 연해주의 고려 민족이 반기를 들까 봐 아예 소련 가까이 두겠다는 속셈이던 것이다.

머리좋은 스탈린은 한국전쟁을 획책해 놓고 1953년 5월에 급사하고 만다. 우리는 이것을 "하늘의 벌"이라고 한다.

모진 고생하며 황무지 개척한 고려인들이 자녀들을

한국사 제대로 배우게 하려고 한국으로 유학을 보냈는데 아니 이게 웬일인가?

자기네가 알고 있는 "고조선 역사"가 없는 것 아닌가? 식민사관들이 가르치는 "한국사"에 고조선이 없는 건 당연지사 아닐까? 일본과 중국이 지워버린 "단군 역사"가 있다면 이상한 학문이 돼 버릴테니까.

단군의 뜻은 "임금 왕"이란 칭호로 약 5천 년 전에 세워진 배달민족의 "시조" 아닌가?

고구려 신라 고려 조선에 이르기까지 전해진 고조선 역사가 조선총독부 내 조선사 학계(이병도 박사 서울대 한국사)에서 지운 것으로 추정된다.

고조선 역대 단군들이 기록된 역사서 "유기"가 일본의 어느 사찰에 꽁꽁 숨겨져 있다는 사실만 알 뿐 지금꺼지도 그 흔적을 찾을 길 없어 무척 안타깝다.

고려 때도 5만리 서역 땅까지 고조선 영토였다는 사실이 무척 궁금한 가운데 여러 곳에서 "고조선 문명"이 발굴되자, "세계 5대 문명발상지"의 순위가 순식간에 바뀌었다.

메소포타미아문명 이집트문명 고조선문명 황하문명 인더스문명(인도)으로 순위가 뒤바뀐 것이다

지구촌 세계역사학계가 드디어 고조선과 가림토소리글(현재 우리가 사용하는 언어)을 주목하기 시작했다.

세종의 식구들이 집현전 학사들의 반대를 극복하고 창제된 한글이 한문을 초토화시키고 있지 않는가?

세계공통어 대열에 선 "한글"이 카자흐스탄과 동티모르(인도네시아) 등에서 사용될 것이 확실하다고 본다.

숙종이 사랑한 여인은?

조선 27인 왕들을 현미경 분석한 역사서가 있을까? 없다고 본다.

잘못된 통치권에 고통받은 백성들의 울부짖는 울음소리가 들리는 듯하다.

철권 통치는 왕가 내 대립 등이 문제였다.

태조 이성계에서 순종까지 약 600년 역사가 우리 앞에 병풍처럼 펼쳐진다. 인문학과 함께...

장희빈을 진심으로 사랑한 19대 숙종 왕의 사랑은 과연 진짜 사랑이었을까? 지금껏 어떤 소설가도 장희빈이 미모 하나로 숙종의 사랑을 거머쥐었다고 생각했지만, 사실은 장희빈 시절 그녀만의 "방책"을 지니고 있었다고 야사는 전하고 있다.

치마폭의 숙종?

아니다.

숙종은 조선왕 중에 인물이 출중했고 정치력이 뛰어난 임금이었다. 백성들에게 쌀로 세금 받고 탐관오리는 암행 관찰사를 보내 척결했던 왕이었다.

"상평통보"라는 화폐를 발행했고 곡물세를 쌀로 통일해 백성이 쌀농사에 전념할 수 있게 한 태평 정책 군주였다.

조선 시대 궁중 내 계급을 보면, 왕대비 마마 대비마마 중전 숙빈 희빈 경빈으로 임금과 합궁하면 대비를 제외한 칭호를 받게 된다.

연산군의 모친 폐비 윤씨(성종의 계비)는 비참한 최후를 맞아 지금 서울 우이동 산에서 잠들어 있다.
모친의 비참한 과거를 몰랐다면 얼마나 영특한 왕이 되었을까?
인현왕후와 장희빈의 사랑싸움에 휘말린 숙종이었지만 그의 통치력은 수준 이상이었다.
"숙빈 희빈 경빈"은 왕의 총애와 사랑을 받았던 직책이었으니 현재 이 땅에 27왕족 자손이 얼마나 많겠는가? 이씨 성 귀하게 대하자.
혹시라도 왕손일 줄 모르니까...

역사적 "3실수" 누가 책임지나요?

수인공 태종 세종 고종의 순간 실수로 후손인 우리가 고통받고 있지 않는가?

대왕들의 업적이야 대단하지만, 단 한 번의 실수로 당시 조선의 피해가 실로 엄청났다. 그때 제대로 처신했더라면 일본의 압제를 일찌감치 차단할 수 있었는데, 3인의 대실수가 오늘날 커다란 문제가 되고 말았다.

조선 초 "왕자의 난" 이후 아들 세종과 함께 대마도 정벌에 나선 태종이 정벌 후 쓰시마 도주가 왜구 짓은 더는 안 하겠다는 간교한 세 치 혀에 휘둘리어 용서하고 말았습니다.

세종 때 왜구들이 강원도 양양부(속초 어촌)까지 약탈하자, 세종이 대마도(왜구의 소굴) 정벌을 감행했을 때도 도주의 감언이설에 그만 넘어가 울릉도까지 공도(무인도)로 만드는 "대실수"를 한 것입니다.

그리고 고종이 러시아 영사관으로 피신한 것이 3번째 "실수"라 할 수 있습니다. 하필이면 러시아 공관으로 갔을까요? 영국 공관이나 미국 공관으로 피신했더라면 얼마나 좋았을까요? 고종의 헤이그전략과 아버지 대원군 관계 등 치적도 있었지만 "러시아 공관 피신"은 실수였다고 봅니다.

역사는 거울이고 물레방아이고 주기적으로 회전하는 지구본이다. 과거 고조선의 영토는 중국보다 더 광활했다고 한다. 중앙아시아가 고조선의 영토라고 단군세기에 분명히 기록돼 있다.

태종 세종 고종의 "3실"에 대해 100년 뒤 우리 후손도 분명히 "지적"하리라 본다.

실패는 성공의 어머니지만 실수는 절벽의 아버지라 할 수 있다.

비록 실패는 하더라도 "실수" 하지 않는 인생이 되기를 바란다.

국사봉 이야기

서울 관악구엔 "보라매공원"이 있다.

조선 태조 이성계가 도읍지(서울)를 정할 때 강을 끼고 험준한 산을 선택한 이유가 있다. 바로 북방 오랑캐와 남방 왜구의 출몰이 고려말 얼마나 극심한지를 이성계는 너무나 잘 알고 있었다. 그래서 무학대사에게 "수도 선정"을 의논했던 곳이 있었다. 바로 산꼭대기(봉) 지금의 보라매공원 자리로 옛날엔 온통 산이었음을 증명하는 관악산이 있지 않은가?

북쪽엔 삼각산(북한산) 서쪽엔 관악산 동쪽엔 아차산 남쪽엔 남산 인왕산 남한산(남한산성) 등이 에워싸고 있어 세계 최고 방어 진지라 할 수 있는데, 그런 이유로 이성계와 무학대사를 극찬한 역사가들이 많지 않은가?

또 서울엔 웬 고개가 그리도 많은지 서대문 고개 미아리 고개 장승배기 고개 남한산 고개 수락산 고개 우이동 고개 불광동 고개 아차산 고개 등등 온통 "방어 진지"가 병풍처럼 적을 방비하는 "천혜 요새"인 곳이 바로 "한양"이었던 것이다.

보라매 자리 "국사봉"이 그립다.

무학과 성계가 모의 밀담했던 봉우리 지금의 보라매공원이 높은 산이었다는 사실이 믿어지지 않는다.
그래서 역사는 미스터리라고 하기에 인문학 최고봉 아닐까?

창제되지 못할뻔한 "훈민정음"

역사는 물레방아라 본다. 물이나 외부의 힘이 그 물레방아를 돌리기 때문이다. 이것을 우리는 "물레방아 방앗간"이라 한다. 선조들이 벼 이삭을 추수 후 방아간에서 벼 껍질을 탈곡해 식량을 비축해 양식을 삼았던 것 아닌가?

세계의 식량은 3종류로 분류된다. "쌀 밀 보리".

그 밖의 옥수수 바나나 등 각종 열매도 "식량"에 해당된다.

조선 27대 임금 중 백성을 굶주림에서 벗어나게 한 임금은 조선 4대 "세종"이라 본다.

북쪽에선 여진족을 토벌하고 남쪽에선 왜구를 정벌하고 "태평 세상"을 열고 훈민정음을 창제한 것이다.

"나랏말이 중국과 달라 백성의 어려움을 극복하기 위해서" 훈민정음 창제를 결심한 세종대왕이 "복심"을 가족에게 내보이고 밀명을 내리게 된다.

오래동안 연구한 "한글"을 속주머니에서 꺼내 들고 우선 가족들(문종 세조 딸들 아들들 등)에게 함구령 내리고, 집현전 부제학들 모르게 훈민정음 연구를 계속한다. "패밀리 파워"는 대단했다. 대신들이 퇴청하고 나면 세종 일가의 세상이 된다.

여기의 주연은 둘째공주 정의공주 부부. 조연은 세자와 대군들 그리고 세종의 동생들이었다. "일가족 세미나"를 통해 훈민정음이 차츰 완성단계에 이를 때 세종은 오랜 당뇨병으로 시력을 잃어가고 있었다.
지금이라면 "루테인성분"이 있어 봉사는 면할 수 있었겠지만, 『동의보감』 저자 허준이 태어나지 않았던 시대라 중국 의술에 의지할 수밖에 없었다. 세종의 눈이 되어준 "정의공주 부부"가 역사에는 등장하지 않는다.
정의공주 남편은 "순흥 안씨" 가문이다. 한국 성씨 중 황소고집 "안씨 강씨 최씨 백씨 문씨 전씨 소씨"는 "7대 고집 성"으로 고려 때부터 전래되고 있다.
훈민정음의 창제 과정의 고통사는 순흥안씨 가문 족보 책에 기재돼 있다고 한다. 사대주의자들 집현전 최만리대제학 성상문 박팽년 정인지 하위지 등 부제학들이 중국의 심기를 건드린다고 쌍수 들고 "반대" 시위를 했다. 만일 그때 세종이 굴복했다면 한글은 "난산" 되어 지금 우리는 한문의 포로가 되었을지도 모른다.
하늘의 도움인지 정의공주와 순흥 안씨가문 부마의 피나는 노력으로 마침내 한글이 잉태하게 된 것이다.
위대한 한글!
영어를 제칠 날이 점점 다가온다.
세계공통어가 될 "영어와 한글".
지금 중앙아시아 카자흐스탄 외 동티모르국 등등 여러 국가들이 한글을 배우고 있다.
특히 지구촌 각국에 파견된 대사관 영사관 선교사들이 그 나라에서 "한글 강의" 한다는 사실 정말 감동을 준다.
정의공주 부부묘는 연산군묘 건너편에 있고 서울 강북구와 도봉구 경계에 위치해 있다. 우이동과 방학동 사이에 소리글 한글 백성 글을 창제시킨 세종가의 많은 가족이 집현전 반대를 이겨낸 기록들이 순흥 안씨 족보에 고스란히 담겨있다.

그것이 아녔더라면 세상에 알려질 수 있었을까?

고조선 선조들과 하늘의 도움, 세종 일가의 피나는 노력으로 "한글"이 "난산" 후 생명을 되찾은 위대한 날이 바로 오늘 "10월 9일 한글날" 아닌가?

세종대왕 일가족과 순흥 안씨 가문에 감사해야 하지 않을까?

봄처자 제 오시네 남쪽에

봄은 여성 가을은 남성의 계절 그럼 여름은? 겨울은? 작품을 쓰면서 항상 생각했던 지난날이 생각난다.
뚜렷한 "4계절 한국" "동서남북" 중 마치 검찰청을 뜻하는 것 같다. 중앙지검 동부 서부 남부 북부지검 그리고 중앙지역(충청도) 북부(서울 경기 강원) 남부(전라 경남도) 서부(전주 등 서해안) 이렇게 4내지 5란 숫자가 "핵심"인 것 같다.
우리 역사에서 숫자와 문자가 처음 발견된 시기는 중국 하나라 은나라 갑골문자(거북이 등에 쓴 글)였는데 그 나라는 우리 "동이족 문화"(삼황오제)였다. 그래서 놀란 중국이 주나라(무왕)를 건국 시조로 해서 역사교과서를 고쳤단다. 이런 나라를 받든 김부식 등 중화사가들을 여과없이 비판한다.
그들이 왜 만주지역 중앙아시아의 "고조선 역사"를 일본과 합심하여 말살 왜곡 지우려 했는지 이제야 알게 된 것 같다.
식민사학이 남긴(의도적으로) 삼국사기와 삼국유사를 "신화 전설"로 남길 의도로 지금도 대학 강단에서 구렁이 담 넘듯 스르르 지나치듯 가르치는 것이 고조선 역사다.
만일 오래전 오대산 상원사 주지스님 임승국 스승님을 만나지 못했더라면 아직까지 이병도 식민사학을 인정했을 걸 생각하면 소름이 끼친다.

4계절이 뚜렷한 한국 38선 빼곤 따뜻한 남쪽 나라다.
이곳의 여름은 "노숙인의 행복 계절"이라 할 수 있다.
비바람만 빼고 이제 봄처자(여성지칭)가 성큼성큼 다가오네.
3월의 진달래 4월의 철쭉이 우리를 반겨줄 것이고 쑥이 처자들의 "쑥 바구니"를 기다립니다. 그래서 "봄처자 제 오시네"란 노래를 부른다. 화사하게 웃는 남쪽의 동백아가씨도 진작에 꽃망울을 터트렸네. 3월 4월 5월 봄향취 "쑥국" 먹고 힘내는 우리 되면 어떨까?

가문 싸움이 지역 싸움되다

강원도에도 "동서남북 지역"이 있다. 영북지역(고성군 인제군 철원군 양구군 화천군 홍천군 춘천시) 영동지역(속초시 양양군 강릉시 동해시 삼척군 삼척시) 영남지역(도계읍 태백시 정선군 영월군 횡성군 평창군) 영서지역(원주시 원성군 문막읍 신림읍 제천 단양(행정상 충북이지만 제약업에선 강원도로)) 이 중에 "평창군"과 "강릉시"가 "역사싸움"으로 한때 사이가 좋지 않았다. 무슨 연유로 강릉사람들과 평창군민들이 대립각을 세웠을까?

경포대를 자랑하는 강릉인들 메밀꽃 필 무렵의 작가 이효석의 고향(평창군 봉평) 작품 속 허생원의 활동무대 정선장 대화장 제천장 영월장 봉평장 날에서 일제강점기부터 나귀(조랑말 당나귀 노새) 등짐 지고 5일장의 주인공들 허생원 조선달 동이 성처녀가 이 작품의 주인공들 아닌가?

어떤 평론가는 허생원 조선달 허동이 성처녀가 실존인이라고 논평하면서 희미한 초가집(허생원이 독신으로 살았던 집) 사진을 제공했지만 허생원이 실존 인물인지는 알 수 없다.

근데 왜 강릉과 평창이 싸웠을까?

"이율곡의 출생지"가 싸움의 발단이 되었다. 자고로 아버지 고향이 자식들의 고향이라 하지 않았나? 강릉인들은 이율곡이 신사임당의 친정 강릉에서 출산했다고 하고 평창인들은 이율곡이 시집인 평창에서 출생했다며 향토 역사가들이 "역사논쟁"을 벌여 자칫 법정싸움으로 갈 뻔했다.

조선 건국 시조 이성계는 수도의 이름을 "한양"이라 명명했고, 시장을 "한성 판윤"이라 불렀다. 이원수가 한양의 판윤이 되었을 때 신사임당은 친정인 강릉에 있었는데, 마침 시집인 평창에 갈 일이 있어 갔을 때 이원수가 말미(휴가)를 받아 평창으로 가, 부인과 합궁한 후 이율곡을 임신했던 것이다.
 이후로 신사임당은 친정 강릉에서 지냈고 이원수 판윤은 한양에서 지낸 별거(?) 부부였다.
 친정에서 율곡을 낳았고 성장은 한양 평창 강릉에서 했다. 율곡은 신사임당의 "영재교육"을 받아 총명했는데 재상이 되었을 때 일본의 야심을 알아채고 "십만 군병제"를 주장한 것이다.
 역사와 법은 지난 일을 꺼내는 학문(?)이라 할 수 있다. 우리가 6,000년 전 역사사건을 들추는 것 같이 이율곡의 고향 문제가 오늘날 지역 간 다툼이 될 줄 누가 알았을까?
 만일 황희 정승이 계셨더라면 평창과 강릉 두 곳의 손을 들어 주었을 것이다.
  태어난 곳은 강릉이지만 아버지 고향 평창도 율곡의 고향 아닌가?
 고향은 누구에게나 정겨운 곳이다. 모두에게 그리운 곳 아닌가? "꿈속에 그려라 그리운 고향 옛터전 지금도 변함이 없다." 그런데 이율곡 신사임당 이원수가 살았던 한양 흔적이 안보인다. 왜 강릉 이야기만 나올까?

율곡(호) 이이(이름)는 어린 시절 강릉 외가(북평촌 - 현재 죽현동)에서 글공부한 천재였다. 외할아버지는 신명화로 고려 왕건의 장군으로 역사에 빛나는 신숭겸 장군의 13대 후손이다.

외할머니는 용인 이씨로 신사임당(둘째딸)을 낳아 일약 유명세를 탄 조선 여인상 아닌가?

1504년(연산군 10년)에 태어나 1551년 48세로 생을 마감한 신사임당은 조선 당대의 화가였다. 둘째 딸들은 천재들인가? 훈민정음의 최고 공로자도 정의 공주(둘째 딸) 아닌가? 둘째 파이팅! 어머니 신사임당은 5만원 지폐, 아들 이이는 5천원 지폐에 들어 있으니 가문의 영광이라 할 수 있다.

아 옛날이여!

강원도 속초시(1963년 시승격)는 설악산(외설악 내설악) 고성군 군사분계선 양양 오색약수터 낙산사 신흥사 계조암 울산바위 영랑호 청초호 대포항 동명항 속초항 아야진항 거진항 대진항 "관동 8경" 조도(독도 동생) 명사십리 속초등대 등 영동영북의 명승지 호수가 관광객을 반기고 있다.

한국전쟁 때 북한 땅 속초가 수복되자 설악산 개발이 시작됐고, 미시령 진부령 한계령의 험준한 길이 관광도로가 되고, 터널이 뚫리자 지금은 인제군을 2~30분이면 달릴 수 있고 서울까지는 2시간대면 도착할 수 있다.

조선시대 강원도 사또 부사 감사의 말미(휴가)는 금강산보다 설악산을 더 선호했다고 한다. 백담사(외설악) 신흥사 (내설악) 대청봉 장군바위 금강굴(호랑이 서식지) 권금성은 몽골군도 점령 못 한 난공불락성으로 동해바다가 한눈에 보인다.

다람쥐 날다람쥐 하늘다람쥐 등 각종 희귀 동식물이 전시된 듯한 깊은 숲은 그야말로 절경이 아닐 수 없다. 조선 선비들이 "설악기"에서 "금강산보다 설악산이 더 수려하다"고 극찬했다. 선비들이 토왕성 폭포(세계적 폭포 중 하나)에 대한 경이로운 매력도 기록해 두었다.

다음 기회에 "설악기" 내용을 쉽게 설명해 드리려 한다.

험준한 꼬불꼬불 강원도길 "유배지"로 이름난 영월(단종애사) 고려말 충신들이 조선 개국을 반대했던 "정선 두문동"(두문불출의 유래) 등 등을... 정선 아리랑도 가슴을 후비는 애절한 가사 아닌가? 태백시 "황지연못"에서 발원하여 남한강 여주 대구 영천 지나는 낙동강이 부산 다대포 해안에서 소멸된다. 그래서 이곳엔 "참게"가 많아 자연 양식장(?)이 형성돼 있어도 부산사람들은 별 관심이 없는 것 같다. 낙동강 6백리 이상하게도 신라의 문화 전설 신화 등이 많은 속초 양양(신흥사 낙산사) 옛날엔 양양부로 부사가 다스린 고을이었다.

강원도엔 "향토사학가" 몇 분이 계시는데 연세가 많은 편이라 걱정이 된다. 부산에 "출판국" 개설되면 이 분들을 취재하여 문집을 만들어 드리려 한다. 학계에선 향토사학을 무시하지만 그들이 진정한 "역사가" 아닐까? 두문동의 비밀 등이 설악산 하늘다람쥐에서 낱낱이 밝혀진다. 신축년에 강원도 이야기부터 출간할 예정이다. 특히 강릉 평창의 인물 신사임당과 이율곡이 5만원 1천원 화폐의 주인공이란 점도 강원도의 자랑이 아닐까?

임진왜란은 결국 "문화전쟁"이었다

1592년 4월 13일 오후 2시경 쓰시마에서 출항한 정체불명의 괴선 700여 척이 부산포 앞바다에 출몰했다.

고려 조선으로 이어진 역사 속에 등장한 동양의 해적 "왜구선"이 중국 최남단 철강성 전라도 목포 강원도 동해안 양양(속초) 울릉도 경주 부산 남해안 등 우리나라를 노략질한 소말리아 해적 같은 골칫덩어리 존재였다. 요즘말로 "징글리스트"(성추문 인간들)였던 것이다.

울던 아기에게 호랑이 온다 해도 울지만 "왜구 온다" 하면 뚝 그쳤다 하니 소말리아 해적보다 더 무서웠던 것 같다. 오죽했으면 고려 무신시대 "여몽 연합군"이 마산포에서 현해탄 건너 왜구의 본토로 토벌하려다 2번이나 태풍 광풍으로 실패했을까?

태종과 세종이 대마도 정벌 후 쓰시마족 추방 안 시키고 조선 백성 이주 안 시킨 죄를 지금이라도 물어야 하지 않을까?

더구나 울릉도까지 공도정책(무인도) 했으니 얼마나 기막힌 실책을 세종이 저질렀나?

역사의 실책은 수천 년이 지나도 공소시효는 없다고 본다.

법은 지난 치적도 조사하여 벌주는 것 아닌가? 이번 특집에서 무능했던 "부산포 성주 정발 장군 이야기"는 꼭 밝히고 지나가야겠다.

부끄럼을 모르는 인간들에겐 후일 "역사의 심판"이

기다리고 있는 것 아닌가? 풍신수길(히데요시)의 최후도 이번 특집에서 발가벗겨 보려 한다. 400여 년이 지났어도 일본은 처절하게 "역사심판"을 받아야 하지 않을까?

역사는 "치적과 추적"을 분명히 가려낸다. 그리고 벌을 주고 관용도 베풀지 않는가? 법의 잣대로 본 세계 역사가 흥미롭다. 왜 우리 역사를 외국까지 가서 배우나? 겨우 300년 된 국가에서 말이다. 더구나 중국 회회족 역사보다 앞선 "고조선 역사"를 누가 말살시켰는가? 중화사학과 식민사학 아닌가?

단군왕검 역사를 아무나 꺼내지 마라. 자기네 역사를 부인하는 일부 사학자들 창피한 줄 알기 바란다.

"임진 문화전쟁" 중 국제전쟁에 참전한 베트남 왕자 이야기도 흥미롭다고 본다. 왜냐면 조선에 귀화했기 때문이다. DNA가 비슷한 몽골 중국 일본 베트남 부탄 중앙아시아 일부 국가 폴란드 일부 등 배달민족의 위대성을 우리 원앙이가 소개할 것이다. 코로나 시대를 지구촌이 극복하리라 본다. 기필코!

약 100년간 일본열도는 지방 영주들의 난잡한 전투로 수많은 희생을 치루었다. 그 난중에 도요토미 히데요시가 후쿠오카에서 홋카이도까지 전국을 통일하면서 논공행상 영주들의 불만을 해소해줄 의도로 조선과 명나라의 문화재 강탈 전쟁을 계획한다.

조선엔 "길을 터라. 명을 치겠다." 명나라에겐 "황제를 알현하고 조공을 바치겠다."며 부산포를 기습한다.

만약 이때 이순신이 여수 말고 부산포에 있었더라면 조선은 어떻게 되었을까?

1592년 4월 12일 늦은 밤 부산포(지금의 해운대 근처) 앞바다는 기이한 돌풍으로 700여 척의 왜선이 밧줄을 서로 묶고 강풍을 견디고 있었다. 당황한 왜장과 700여 척의 왜선들은 태풍인 줄 알고 배끼리 충돌하고 강풍에 밀려나 파선되지 않게 밧줄을 힘껏 당기며 밤을 지샜다고 한다.

이때 제갈공명이나 이순신이라면 어떤 전술을 펼쳤을까? 돌대가리도 "화공법"을 사용했을 것이다. 동래부사 송상현 부산포 성주 정발 장군과 그외 모든 수장들도 덜덜 떨며 새까맣게 몰려있는 왜선들을 그저 쳐다보다가 13일 새벽에 왜군의 침략을 당한 것이다.

작가는 이것을 "통탄의 역사"라 한다. 당시 부사와 장군의 무능이 오늘날 일부 정치 사법 행정을 보는 듯해 400여 년이 지난 오늘 그들의 무능을 감히 "지적"해본다.

분명 막을 수 있었던 임진왜란(문화전쟁)이었다.

그날 밤 부산포 앞바다에서 "불화살"과 "대포 총통"만 쏘았더라면 강풍에 작은 희생으로 왜선들 일부를 불태우고 그들을 수장시킬 수 있었다고 확신한다. 영도산에서 사슴 사냥하다가 막걸리 마시고 "무전략 전술"을 펼친 정발 장군의 동상을 초량에서 철거해야 마땅하지 않을까?

"역지사지" 왜군의 입장에서 생각해 보면, 정발은 일본의 우군이었다. 그 날 영도 사냥터에서 "과음"하지 않았더라면 조선의 피폐 선조의 망신 문화재 도굴 고구려 역사서 유기의 강탈 호랑이 생포 등은 없었을 것이다.

법률기자가 사학가? 고조선 연구원? 역사 비평가? 비록 뇌경색으로 많은 기억을 잃었지만 2017년 부산 생활 이후 기억을 거의 되찾고 현재 칼럼리스트 논설위원 다큐 작가로 작품 활동에 "열중"하고 있다.

원앙이는 오리처럼 시끄럽지 않다.

오리는 바리톤 원앙이는 소프라노 두루미는 베이스 참새는 알토 우이천의 조류들 오늘도 비엔나 합창단처럼 아름다운 "소리" 내고 있지 않은가?

인류 역사를 "싸움터 역사"라고 말하고 싶다. 원시전쟁 고대 전쟁 중세 전쟁 근대 전쟁 현대 전쟁 등 지금 70대 사람들은 "한국전쟁" 때 태어났으면 72세 한창 청춘(?)이라 할 수 있다.

중세전쟁인 "임진왜란"은 결론적으로 야만족이 문명국인 조선과 명나라의 문화재 도굴이 목적이었다고 볼 수 있다.

아직도 홋카이도에 살고있는 자그만한 몸집의 "아이누족"(인형같은 일본 원주민류)이 아장아장 걷는다. 남자는 8자 걸음 걷고...

그 당시 일본 백성에겐 호적상 이름이 없어 목개(눈이 이쁘면) 비개상(뚱보) 갈비상(빼빼마른 사람) 논개(말 잘하는 사람) 등 별명이 곧 이름이었고 사무라이(무사)만 이름이 있었다.

지금부터 약 450년 전 일본은 "조선의 선진문화"가 절실히 필요했다. 풍신수길은 조선의 문화재 강탈을 계획하게 된다.

"명나라를 칠테니 길을 비켜라" 히데요시는 선조에게 으름장 놓으며 침공한 것이다.

왜 도굴꾼 10만 명을 왜군 산하에 두고 부산 포성을 공격했겠는가?

왜군 20만 명 도굴꾼 10만 명, 4진 부대가 종횡무진 단숨에 한양을 정벌하고 도벌꾼들은 문명의 도시 한양 덕수궁 창경궁 비원 등으로부터 문화재 약탈을 시작한 것이다. 마치 전승국처럼...

의주까지 도망간 선조 일행 여차하면 명나라까지 갈 지경이었다. 만약 그때 선조가 "망명"했다면 한반도는 오키나와(류쿠섬)처럼 될뻔했다.

고령고분 경주고분 등에서 시작된 "도굴작전"이 진행중일 때 히데요시의 "조선호랑이 생포명령"이 떨어진 것 같다. 그 증거가 바로 "밧줄그물" 아닌가? 당시 부산 호랑이가 그들의 표적인 것으로 보인다.

생포된 호랑이 수송은 부산포에서 이뤄졌기 때문이다. 어떻게 생포했을까? 그 무서운 동물을...

세계전쟁사 중 7년 이상의 끈질긴 전쟁은 로마와 한니발 로마와 이스라엘 태평양전쟁 징기스칸 유럽 정벌 십자군 전쟁 영국과 바이킹 전쟁 영국과 프랑스 장미전쟁 페르시아와 스파르타 전쟁 등 세계 역사는 "전쟁역사"라 할 수 있다.

임진문화전쟁도 7년간 휴전과 전투가 계속되는 과정에서 부산지역 "호랑이 생포작전"이 시작된다. 범일동 범내골 범천 냇가엔 유독 호랑이 출몰이 잦았다고 한다.
히데요시 왈, "호랑이 생포해 오라." 일본 도굴꾼들의 고민이 깊었지만 본국에서 훈련받은 대로 생포 작전은 시작됐다.
1592년 당시 일본엔 네델란드 등 유럽의 선교사 가톨릭 신부들이 대거 상륙해 문화국인 명나라와 조선에 대한 수종의 정보를 전달했는데 그중 "호랑이 생포법"도 있었다고 한다. 높은 나무 사이에 노루와 사슴 등을 세워둔 다음 그위에 "밧줄 그물"을 설치하고 호랑이가 먹잇감에 접근하면 순간 그물을 내려 생포한 것이다. 구루마(달구지)에 실어 부산포(초량앞바다 추정)에서 대마도로 그리고 시모노세키로 보내 일단 가둔 뒤에 소생시켰다 한다. 그 옛날 스페인 포르투칼 영국 프랑스 등이 그물 생포법을 배웠다 하는데 당시 일본이 "조총개발" 등은 선진화돼 있었지만, 백성의 "문화생활"은 매우 낙후돼 있었다고 본다.
각 지역 영주들을 1진 부대에서 4진으로 나누고 도굴꾼들 약 10만명을 4진으로 나눠 출병시킨 "임진왜란"을 작가는 감히 "문화전쟁"이라 부르고 싶다.
현재 일본 동물원의 호랑이들 중 "한국 줄무늬 호랑이"는 분명히 임진년에 잡혀간 우리 호랑이가 틀림없다고 보여진다. 과연 부산 범내골 호랑이 자손들일까? 아 진짜 되게 궁금하네 그려!

Part 2

코로나 19 매일 묵상

지구촌 이야기

미-영-일 항모전단 4척, 남중국해에서 무력 시위하다

중국이 시멘트로 섬을 만들어 비행장으로 쓰고, 12해리 안으로 진입하는 선박에 대해서는 발포한다고 발표하자, 일본, 영국과 미국의 "항모전단 4척"이 공해 남중국해에서 무력시위를 벌였다.

일본은 새로 건조한 항공모함과 전단을 파견했고. 영국과 미국도 각각 항모전단을 보내, 중국이나 북한이 무력 도발 시 즉각 대응한다고 밝혔다.

대만 한국 베트남 등이 공격을 받게 되면, 인도 태평양 항모까지 출동시킨다 한다. 그래서 대만 여성 총통이 큰소리 뻥-뻥 치는 것 아닌가?

연합함대는 명분만 주어진다면 중국과 일전할 태세인 것 같다.

공해를 자기네 영해라고 우기는 중국이 만일 대만을 무력 침략한다면 해상전 공중전을 각오해야 할 것이다. 일본의 첫 항모 출현에 중국이 함부로 업신여기지 못하게 하는, 실전 같은 훈련을 중국이 보는 앞에서 거행한 것이다.

소리소문없이 실행한 "무력시위"에 주변 국가들이 갈채를 보내고 있다. 특히 대만은 중국이 위협해도 당당히 맞불을 놓겠다고 한다.

사정거리 안에 든 만주와 북한 곁의 "홋카이도 태평양 미국 공군사령부"엔 B1, B2, F-35 등이 출격할 것이다. 15분 30분 60분이면 주요 군사기지는 포격당한다고 보면 된다.

중국의 핵 80%가 위구르족 자치구에 있다.

아프간이 골칫거리인 와중에 중국 내 티베트, 내몽골, 묘족, 위구르족 등이 "독립"할 움직임 보여 중국 정부의 고민이 실로 크다.

게다가 그 중국 앞의 동해에서 "항모 4선단"이 무력시위하고 있으니 중국의 속은 까만 숯덩이가 될 것 같다.

반면 과거 태평양전쟁에서 미국과 해상전을 벌인 일본은 감회가 깊을 것이다 "대만 걱정 마! 우리가 지켜줄게."

연합 항모훈련이 훈련이 끝나자 각기 자기네 기지로 돌아갔다고 한다. 이때 중국 항모는 휴가 갔는지 보이지 않았다 한다.

비탈길에 우뚝 선 아프가니스탄

아프간은 이란(페르시아) 인도 중국 티베트 흉노족 고조선(한국) 등과 수천 년 역사를 자랑하는 국가였다.

고구려 고조선 동남아시아 유라시아(중앙아시아) 터키(동로마)의 고대 역사에도 등장하는 3~4천년 된 나라로 보면 된다.

지구 생성은 약 30만 년 지구인 탄생은 약 6,000년 밖에 안 된다고 한다.

지구촌 연구소에 의하면 인류 문명은 "5대 문명"으로 분류돼 순위가 바뀌었다고 한다.

메소포타미아문명(유프라테스강 티그리스강) 이집트 문명 고조선 문명 황하강 문명 갠지스강 문명을 "세계 5대 문명"이라 하자, 인도가 반발 기미를 보이고있다.

지구촌 국가 기원은 중동지역 동아시아 지중해 연안이라는 학자도 있다.

아프간은 페르시아와 인더스 사이의 국가로 문명이 그리 발전하지 못했다. 지구촌 각국은 자기네만의 역사를 자랑한다. 아프간도 마찬가지일 것이다. 고대 왕국에서 현재 대통령까지 수천 년의 역사가 끝나고 이제 "탈레반 시대"가 시작됐다. 여기에 숟가락만 든 중국이 슬그머니 엉덩이를 디밀지만 글쎄 탈레반은 그리 만만치 않을 거다. 한 번 그들과 부딪쳐 보라. 용맹스런 위구르족 베트콩 헤즈볼라 'ISIS'보다 더 무서운 탈레반과의 "대결"을 각오해야 할 것이다.

지구촌이 변하고 있다. 소련이 망하고 또 망할 나라들이 줄 서 있다. 어떤 나라일까?

아프간에서 발 뺀 미국 영국 프랑스 독일과 연합군이 물러난 아프칸 향후 어떻게 될까? 정말 귀추가 주목된다.

박빛나, <달리는 대지의 바람>

70년간 시달린 타이페이 민족

울릉도 새끼 섬 독도를 탐내는 일본처럼 타이페이 섬을 70여 년간 괴롭혀온 중국이 이제는 대놓고 훈련을 가장하여 "침공"을 밥 먹듯 하고 있다.

대만의 잔다르크 여성 총통은 죽으면 죽으리라는 각오로 국민과 일심동체되어 거인 골리앗과 맞서고 있다.

1980년 이후 많은 국가가 중국과 수교하고 대만을 저버릴 때 한국도 배신 때렸다. 국제정세 운운하면서...

타이페이 민족은 월맹이 월남을 집어삼킨 1975년 이후, 군사력을 강화하며 국민정신 개조에 총력을 기했다.

"자립 도생" 우리가 노력해야 미국이 돕는다며 한국을 무척이나 부러워했던 것이다.

특히 "한미일 군사동맹"을... 더구나 박근혜 정권이 시진핑과 가까워지자 한국과 단교를 하려 했다고 한다.

하지만 2016년 사드 문제로 한국과 소원해지자 대만이 적극 한국에 러브콜했다

2021년 친중파가 득세한 가운데 대만 해협은 긴장감이 고조되면서, 미국은 "대만 공격하면 핵 항모 핵잠수함이 중국 본토를 공격한다."고 트럼프에 이어 바이든도 대만 손을 들어준 것이다.

제발 대만 공격만 해 봐라고 하면서 벼르는 미국 결속하는 대만국민의 귀추가 주목된다.

쓰나미 조짐이 보이는 지구촌!

2011년 우리는 일본의 후쿠시마 쓰나미를 생중계로 보고 충격을 금치 못했다. 원전을 휩쓸어 방사성이 누출돼 일본 수산물을 수입하지 말라고 했다.

그때 한국에서도 생선회와 생선구이 식당들이 불경기 폭탄을 맞았다.

전국 수산시장들이 일제히 일본 수산물 아니라고 홍보해도 소용이 없었다.

벌써 11년 전 "쓰나미 대사고"였다.

쓰나미는 일본말 같지만, 실상은 하와이의 "거대한 삼각파도"를 쓰나미라 했다.

이후로 홋카이도 인도네시아 태국 필리핀 하와이 후쿠시마 등 "해저지진 쓰나미"가 지구촌을 위협하고 있다. 쓰나미와 연관성 있는 천둥 번개가 치고 밀물 썰물 없는 해변가의 썰물 현상이 나타난 뒤 3~40분 후 들이닥치는 거대한 삼각파도가 바로 "쓰나미"이다. 쓰나미가 지나는 곳의 생물체는 다 죽는다. 자동차도 종이배처럼 둥둥 떠내려가고 아비규환의 처참한 광경이 아닐 수 없다.

더 놀랄 일은 작년 히말라야산맥 유역에서 "강 쓰나미"가 발생해 지진학자들을 긴장시킨 사건이 있었다.

육상지진(제주도 백두산 충남 서해안 부산 경주 포항 등)도 아주 위험 지진 층이 도사리고 있다. 해안가 지역 시 군 읍 면 마을 단위로 "쓰나미 훈련" 해야 한다.

각 도지사가 특별감독해야 할 것이다.
2011년 5월 강원도 속초시가 쓰나미 대피 훈련을 한 적 있었다.
대한법률신문 주관으로 주재 기자가 훈련을 지휘해 시민들이 쓰나미를 알게 된 것이다.
동명항 속초항 대포항 주민들은 기억할 것이다.
토성 청태산 높은 건물 1Km 이상 도망가기 중앙동 언덕 노학동 언덕 영랑동 용촌 고개 등으로 속초시민과 가축 반려동물 심지어 씨돼지를 리어카에 싣고 나온 주민도 있었다.
바닷물이 갑자기 썰물 되고 마른하늘에 천둥 칠 때 바다에서 큰 파도가 몰려오면 이것이 바로 그 무서운 "쓰나미"인 것이다. 2021년 가을 세계 정상들의 기후대책도 중요하지만 70% 바다와 맞닿은 육상지진 해상지진에도 지구촌이 관심을 가져야 할 때라 본다. 장백산(백두산) 화산 1000년 주기 아주 위험할 때 아닐까?

이란이 조용한 이유가 뭘까?

국제정세가 어지럽지만, 아프간이 침묵하고 있고 이란도 국내 정세를 안정시키고 있다.

핵 개발 중단한 시리아와 이란에 대해 유엔과 미국이 "경제 제재 해제"의 뜻을 내비치고 있다.

현재 지구촌 220개국 중 핵보유국은 8개국으로, 미국 러시아 영국 프랑스 인도 이스라엘 파키스탄 중국이다.

현대전은 핵무기 사용이 금지돼 있지만, 만일 사용하는 "핵사용국"이 있다면 나머지 7개국의 "핵공격"을 감당해야 할 것이다.

시리아와 이란은 완전히 핵무기 생산을 포기했다고 본다.

트럼프 집권 때 소말리아 해적 두목, 이란 총사령관 등이 "닌자 폭탄"
(나르는 칼톱 무기)에 의해 살해당한 후 입을 꾹 다물고 있다. 그 후로 소말리아 해적이 사라졌고 시리아와 이란이 조용해지지 않았나?

그런데도 아직 닌자 칼톱을 두려워하지 않는 나라들이 있나 보다.

트럼프는 직접 실험해 보았고, 바이든은 실험해 보고 싶어한다.

중국이 대만 문제로 매일 대만 해협으로 출격하지만 위협만 주고 귀환한다. 대만의 여총통은 "때려봐라! 한번 공중전 해보자!" 며, 신예 무기를 도입해 놓고 배

짱좋게 기다린다.

과연 어떻게 될까?

현대 전쟁은 70여년 전과는 전혀 다르다고 본다. 육군? 외출 나가라! 공군과 해군(최첨단 신예기와 항모전단)이 맡는다.

페르시아만 남지나해 홋카이도해 오끼나와해 괌해 대만해역 인도양 한국 서해 일본 서해 호주 북해 등에서 전쟁 준비가 끝나 있다고 본다.

미국의 전략인즉슨 "누구든 선수를 쳐 봐라"인데 11개 항모선단 중 7개 선단이 즉시 출동할 수 있다고 한다.

바이든이 푸틴과 "우린 싸우지 않는다."는 서명을 두 번이나 한 사실의 속뜻을 국제 정세가들은 모두 알고 있다.

화약고 대만 위구르족 남중국해 진출 아프간 사태 등 전쟁 조짐은 보인다.

부자 몸조심!

이란이 갑자기 조용해졌다. 눈치챘나? 아니면, 닌자 칼톱이 두려워서일까? 100% 살인 무기를 지구촌이 무서워하지 않는가? 페르시아만이 조용하다.

국경이 가장 많은 국가와 접하는 나라는?

인도에서 파생된 파키스탄은 인도와 같은 민족이라 할 수 있다.

서로 으르렁거리는 것은 우리와 같지 않은가?

하지만 국경문제로 싸우진 않는다.

그런데 인도는 중국과는 싸운다. 영토 확장 병에 걸린 중국 회화 족은 7세기부터 만주 동러시아 실크로드 주변을 탐내어 침략을 자행했다. 지구본을 돌려보니 중국과 국경을 맞댄 국가는 "18개국"이다. 인구 14억 중국과 인구 13억 인도는 인-중 전쟁(막판 핵전쟁) 파-중 전쟁도 핵전쟁 가능성 열어두고 있다.

18개 국경선에 포위된 중국 내 내몽골 티베트 위구르족 묘족 등은 자력 독립의 기회를 엿보고 있는 국가와 소수민족들이다.

이들이 모두 "분리독립" 한다면, 지구촌 국가수는 약 300여 개가 될 것 같다.

2021년 가을 아프간이 중국의 고민거리가 된 듯하다.

위구르 자치구와의 결탁이 의심되기 때문이다.

좌우지간 중국은 한국에 신경 쓸 때가 아닌데, 한국의 친중파가 큰 실수를 저지를 것 같아 걱정이다.

다행히도 제주도엔 원희룡 지사가 있고, 광주엔 서의환 반중 인사가 버티고 있고 안산 차이나타운 등도 감시의 눈을 떼지 않고 있다.

한국은 "국제 형사 재판소" 통해 만주땅(고조선 고구

려 발해 등)을 되찾아야 한다.
드라마 야인시대에서 김두한의 스승인 쌍칼님이 마지막 조선을 떠나면서 "간도에서 독립운동 하겠다"던 그 말씀 지금도 기억난다. 74년 전 다부동 전투 때 27세이던, -2021년 가을- 그분은 연세가 101세이신데 아직도 정정하시다. 전기작가 김철수 기자에게 자서전 부탁하면 1개월 내 완성해 드린다. 우리 독자나 애독자라면...
동아시아 국가들 특히 실크로드 주변국들이 중국을 매우 싫어한다. 6~8세기 침략야욕을 드러내고 유라시아까지 원정했기 때문에 중국이라면 눈살을 찌푸리지 않는가? 또 고조선 고구려 발해가 자기네 민족이라니 팬더 곰이 하품할 정도 아닌가?
핵 항모 핵잠수함 전쟁의 위험도가 고조되고 있다. 대만 침공시 중국의 멸망이 예견된다. 중국!! "고립전쟁" 자초할 것인가?
지구촌 대중국 18개 국경선이 무너질지 모른다. 이를 대비하는 미국은 한층 바쁠 것 같다.

턱밑 국가 유엔에서 4시간 미국 욕하다가

턱밑 코밑 국경 맞댄 국가들이 지구촌에 부지기수이다. 과거 유엔 연설에서 미국 욕을 4시간 동안 해댄 쿠바의 카스트로는 십년 묵은 체중이 쑥 빠졌다고 자국에서 자랑하다가, 외교 전선에 커다란 구멍이 생겼다.

1800년대 쿠바를 깜둥이 섬이라며 미국이 정복하려고 할 때 영국 청교도들이 결사적으로 말렸다고 한다.

미국이 힘없는 쿠바를 강제 침략하면 하나님께서 절대로 미국을 용서치 않으리라고 말이다.

2020년 쿠바 선교사(70대 여목사)가 현지에서 연락이 와서 알게 되었다.

지구촌 연구소에선 근접국가들을 매일 들여다본다.

특히 중국 코앞 대만을 예의주시하고 있다.

미국과 동맹은 아니지만 그들의 간절함에 미항모 전단(구축함 순양함 핵잠수함(호주기지 7척 중))이 항상 대만 해협과 한국 일본 해역을 감시하고 있다.

러시아는 "니들 경거망동하면 큰 탈 난다"고 주의를 준다.

그런게 과거 카스트르는 4시간 동안 무슨 욕질을 해댔을까?

미국인들이 가장 싫어하는 욕이 "까뎀 샤라벳찌"인데 이 욕했다고 미국이 외교 단절을 해 버린 것이다.

동아시아의 뇌관 타이페이, 훗카이도 그리고 남지나해에서 남태평양 전쟁 조짐이 엿보인다.

무서운 민족 "묘족"의 궐기!

중국 남부 강소성 절강성 등에 사는 민족이 있다. 장족(壯族)은 1600만이고 묘족(苗族)은 730만 인구로 베트남과 인접한 지역에 살고 있다.

삼국지를 보면 남방 지역에 미개한 토인들이 산다고 했다. 이곳은 고구려 멸망 후 유민들이 이주했던 곳이다.

송나라 때 묘족의 기록을 지웠지만 끈질긴 고구려 정신은 2021년 현재까지 무서운 민족정신으로 남아있다고 한다.

고구려 풍습 중 형이 죽으면 동생이 형수와 아이들을 양육하는 전통이 있는데 고구려 그대로 아닌가? 자신들이 고구려 후손이라 하며 무술도 익히고 중국 정부에 대항도 선언했다.

서쪽엔 위구르족이 남쪽엔 묘족이 중국 정부에 대항하고 있다.

중국 59개 족(소수민족)에게 한족(漢族) 한문을 배우라는 시진핑에 맞서 끝까지 저항하는 묘족이 자랑스럽다.

열악한 땅 산악지대 남방 수풀의 위구르족처럼 "자치독립"을 선언하고 있다.

구이족(고구려 유민)이라 불리며 송나라 이후 역사서에 등장하는 고구려 민족이다.

시진핑의 억압 정책에 맞서 "독립"을 외치는 "묘족"을 도와야 한다.

한때 미얀마 정글에서 "반군"이 됐던 묘족의 문화는

분명히 고구려 유민이 맞다.

신장 위구르 독립 내몽골 독립 남방 묘족 독립 등등이 2021년 현재 뜨거운 감자로 중국의 속을 뒤집고 있다.

구당서 "자치통감"에 명나라 때 봉기했던 기록이 있는 아주 용맹한 민족이다.

중국 "56개 족" 중 우리 민족 구이족(묘족) 조선족 장족 등의 피 속에 고구려 피가 흐른다고 '지구촌 연구소 B'가 전하고 있다.

아 통제라! 고구려가 "삼국통일" 했어야 했다. 그랬더라면 지금쯤 동아시아 맹주로 세계 2위 경제대국이 되어 있을 것이다. 결코 꿈이 아닌 위대한 고구려(고조선) 민족이 돼 있을 것이다.

스위스 7개 민족이 오손도손 산다

중국에선 각 지역 간에 말이 잘 통하지 않는다. "59개 족"(티베트 내몽골 신장 위구르 포함)의 언어가 서로 다르기 때문에 북경어를 기반으로 한 표준중국어를 만들어 소통을 꾀하고 있다. 얼마나 답답할까? 스위스는 7개국(스위스어 독일어 오스트리아어 프랑스어 이탈리아어 스페인어 영어)을 사용한다. 이 중 독일어 사용이 70%인데 그렇다고 독일계는 아니다. 2차대전 때 독일을 돕지 않는다고 히틀러 군대가 쳐들어가자 모두 알프스 산악에 숨은 적이 있었다. 독일군이 취리히에 진격했을 때 모두 독일말 쓰며 환영하는게 아닌가? 히틀러가 "스위스 공격 STOP!"했다. 하마터면 중립국도 날아 갈뻔한 것이다.

다민족 시대이다. 한국도 다민족이지만 중국민을 조심해야 한다. 특히 중국 유학생들을... 우리는 중국 59개 족을 "소수민족"이라 부른다. 그리고 한족과 조선족을 포함해서 중국 지나족이라 부른다.

조선족의 역사는 고구려 유민이라 보면 된다. 우리도 그 민족이고 일부 해외 소수민족도 대국 고조선의 후손일지도 모른다. 우리 민족 조선족을 사랑한다. 더 많은 조선족이 나의 글을 읽기를 원한다.

스위스 민족은 유럽의 대표 민족이지만 단결단합엔 1등 민족이다. 스위스 정부에서 전 국민에게 매월 300만 원씩 생활비 주겠다고 해도 "거부"했다고 한다.

국가 1년 예산에서 책정한 복지 예산 때문에 나라가 망한다고 주장하는 정치가는 당장 그 자리에서 물러나라. 옆구리로 새는 예산을 막으면 될 것이다.

스위스 정부 복지 기타 예산 구하는 대로 지구촌 연구소에서 발표하려 한다. 길은 로마로 통했지만 알찬 경제는 스위스로 통하는 것 같다.

알프스 요새를 히틀러도 정복하지 못했다. 그런 "다민족"이지만 로마의 정신 카르타고의 정신 알프스의 정기를 이어받은 스위스라고 치켜세우고 싶다.

박빛나, <용서와 화해의 스카치테이프>

남태평양 "적도" 부근 "통가국"에 가보자

바다 위에 떠 있는 섬들을 우리는 조각배라고 부른다. '지구촌 연구소B'를 개설하면서 무인도 말고 유인도에 대한 "소 역사"를 독자와 애독자에게 전하려 한다.
지구촌은 거대한 대륙이라 할 수 있다. 그래서 "5대양 6대륙"이라 한다.
오늘 강의는 적도 근처에 있는 "통가"란 나라에 대해 전하려 한다.
뉴질랜드에서 가깝고 적도 바로 아래 위치하며 거제도 면적에 인구는 10만 정도 되는 기독교 국가이다. 10만 인구 중 문맹자는 거의 없다고 하는데 바이블을 통해 받은 교육으로 피지나 다른 섬나라와는 원주민 자체가 수준이 높다고 한다.
밝은 표정과 친절한 인사성을 보면 민족성이 보인다.
말 그대로 "착한 인디오족"이다.
호박과 돼지고기(바베큐)가 주식이고 각종 과일과 열매로 영양 보충한다고 한다.
또 난류와 한류가 교차해서인지 "참치"가 많이 잡히고 이들 선박을 감시하는 군대가 있는데 해군뿐이다. 인구는 10만 명이지만 대통령 건설부 장관 등 내각들이 나라를 국정 운영하는 민주국가이다.
한때 한국 정수기 사기꾼들이 망신시킨 적 있었지만 그래도 선교사가 계셔 한국 이미지는 무척 좋다고 한다.
사기꾼들은 '지구촌 연구소B'에서 콕 집어낼 것이다.

나쁜 자들!

근데 통가 백성들은 왜 참치를 싫어할까?

고등어 갈치 꽁치 등등의 생선들은 머리 부분이 잘 생긴 데 비해 연어 참치 등은 아주 흉악하게 생겼고 아가리가 무섭게 보인다.

통가국 국민이 참치를 외면하다 보니 타국 원양 어선들이 다 잡아간다.

경찰서와 죄수가 없는 평온한 통가 나라를 세계 모범 국가로 추천해야겠다. 그리고 통가국 여행도 꿈꿔보면 좋겠다.

무기 줄 테니 "라면과 초코파이" 줄래?

스탈린의 나라 소련이 자체 붕괴되고 러시아가 인수한 후 한국에 진 "빚"(차관)을 갚았다. 1995년 이후 러시아에서 "코리아 라면과 초코파이 열풍"이 구름처럼 번져나가기 시작했다. 특히 "컵라면"의 인기는 하늘을 찔렀다고 한다.

지금으로 말하면 "동네방네 빚잔치"로 우리나라 육해공군 해병대에서 구소련 무기들을 인수한 거다. 그중에서 기갑부대에서 가장 선호한 "T-80 탱크"(모스크바 방위용으로 해군 구축함처럼 날렵한 기갑 전차)를 아낌없이 주었다.

러시아는 북한의 불만에도 아랑곳하지 않고 김영삼 정권에 무기로 빚을 갚은 셈이다.

이때 T-80 탱크에 대해서는 러시아에서 팔도 컵라면과 오리온 초코파이를 대량 요구했는데, 그때부터 두 제품은 러시아 국민이 가장 선호하는 식량(?)이 된 것이다. 한국전쟁의 포병 영웅(노재현 전 국방장관)이 세운 업적 중 하나는 "적의 탱크 바퀴를 쏘아라"라고 한 것이다. 당시 포병 소령이었던 그가 물밀듯 남하하는 적의 탱크를 저지하지 못 했더라면 어떻게 되었을까? 노재현 참모차장 시절에 직접 들은 이야기이다.

초코파이와 라면은 지금도 지구촌에선 "최고 인기품"에 속하는데 특히 우리 민족(소수민족)과 뿌리가 같고 비슷한 민족에게 "라면과 초코파이"를 보내고 싶다.

국제정세가 변하고 있다

오래전 철학과 교수와 차 한 잔의 시간을 가진 적 있었다.

P교수는 느닷없이 물었다.

"기자님, 아리스토텔레스의 표정을 알아내는 법을 아시나요?"

"예. 그의 전기를 통해 알아냈습니다."

하니 고개를 끄떡이며 앞으로 작가로 활동해도 되겠다는 조언을 해주신 적이 있었다.

작가? 기자 생활도 벅찬데 하면서도 그때부터 다큐 "그냥 이야기"를 간혹 써둔 것을 지금 꺼내보니 아, 벌써 200여 편 아닌가?

별별 이야기가 다 묻혀 있는 것이다.

예를 들면 "빨치산의 유래" "IS 영국여왕 살인 음모론" 등등인데 집필에 큰 힘이 될 것 같다.

아리스토텔레스 철학자는 "행복론"을 창시한 분으로 기원전이지만 항상 행복한 미소로 군중을 대했다 한다. 우리는 역사를 통해 기원전(BC)과 기원후(AD)의 사실을 알고 있다. 1세기부터 21세기까지 지구라는 행성에 살고 있는 각 민족의 역사를 찬찬히 들여다보면 시대 변화에 따라 "흥망성쇠"가 반복된 것을 알 수 있다.

앞으로 지구가 끝날 때까지 로마가 사라지듯 강대국도 사라질 수 있다.

나토 연합(유럽국가 30개국)도 중국을 "주적"이라 선포했다. 물론 "코로나 음모론"을 제기하면서 집단행동에 나선 듯하다.

중국이 세계 곳곳에 추진하던 "차이나타운 건설"에 얼음이 얼었다. 한국의 친중파들 머리가 어지러울 것이다. 제발 돌아오라! 지금이라도 늦지 않을 것이다. 소련 붕괴 이후 유라시아가 분리 독립했듯이 국제 정세는 중국을 주시하고 있다. 그래도 중국은 자만하고 있는 듯해 그저 애처로울 따름이다. 호주 핵 잠수함 기지 때문에 동북아시아가 발칵 뒤집혔다. 과연 어떻게 될까?

행복론 주창한 아리스토텔레스의 철학은 역시 "인간 존엄 우선"인데 인권을 무시하는 국가나 개인은 행복할 자격이 없다고 했다.

우리는 기원후 역사보다 기원전 역사에 심취하고 있는데 왜 그럴까? 재미있는 "이야기 역사"이기 때문 아닐까?

전함들이 궁금하네요

1944년 태평양 "미드웨이 해전"에서 미국과 일본은 제각각 최선을 다해 1년 가까이 싸웠다.

오늘날 해상전은 구조경비정(조난 수병 구하기) 구축함(대잠수함 킬러 전투기와도 맞짱 바다의 미꾸라지) 순양함(병력 이동 위력적인 함포 항공모함 호위) 항공모함(경 대 핵장치 전투기 탑재 일개 나라 정도는 항모 1척 전단이면 상황 끝)!!

영토가 넓은 국가는 2척, 더 넓은 국가는 3척이면 돼!!!

미국은 항모 11척 보유국으로 동북아시아에 5척 전단이 포진돼 있다. 안하무인으로 여기면 큰 코다친다.

해상전 공중전 60분이면 항복 받아내고 "핵무장 해제" 할 수 있다.

대만이 화약고 될까? 한국보다 전쟁 확률이 더 높다고 전쟁전문가들이 예측한다고 한다.

항모 호위 잠수함 순양함 구축함 경비함 등 미드웨이 해전 때와는 상황이 다르다.

해전과 공중전이 동시다발이라 시간 단축이 된다 한다.

중국 해군 기동 훈련할 때 그 사이로 지나간 미구축함 1대 "발포해 봐!! 여긴 공해야. 니들 바다 아니거든."

부글부글 끓는 중국 함대들은 시진핑의 "참아!!" 한마디에 전쟁은 물 건너가고... 근데 대만은 양상이 다르다.

전쟁 확률 8~90%로 미중 전쟁 발발되면 미 항모 3~4척 전단들이 중국 동해로 발해만으로 들어가진 않고 "해전"을 벌이게 된다.
항모 호위함 순양함 구축함 잠수함은 "작전 찰떡궁합"으로 작전을 성공리에 끝내게 된다.
미해군 역사상 최신 군함들 남중국해에서 격돌하는 장면 보고 싶다.
대만도 원할 것이다.
영화에서 실감나게 함포 사격하는 장면을 연출하지만, 실제상황에선 긴장감이 심각하게 나돈다고 한다.
한치의 양보도 없다.
순양함 구축함 잠수함은 각기 제 임무를 수행하면 된다. 함장의 작전이 화력의 승리를 보장한다고 본다.
항모 11대 2.
중국 큰 소리 칠 수 있을까? 과연!

대만은 제2의 이스라엘이야요

지구촌 연구소 "전쟁사" 파트엔 5단계 전쟁 이야기가 있다.

1세기~21세기간 지구촌 전쟁사를 다룬 "미니 논문"(칼럼식)이 태동했다. 일반인이 접할 수 없는 논문을 이야기식으로 해석한 짧은 글이 "그냥이야기" 아닐까?

우리나라에 전쟁 연구 전문가가 몇 분 계신다. 또 국제정세 분석가도 전쟁사관도 있지만, 고정관념에 의해 군 출신이 아니면 학설을 인정하지 않는데 이것은 "역사 인식 부족"으로 보인다.

오늘 강의는 "5단계 전쟁"에 대해 이야기하려 한다.

미군의 아프간 철군, 대만의 빡센 저항, 나토군의 재결집에 이어 러시아와 미국이 협상테이블에 앉았다. 중국에 대한 코로나 의심 백신 전쟁을 이용한 각국 정상들의 설레발(순수 한국말)은 이제 그만할 때가 온 것 같다.

5,000년 역사(?)를 자랑할 순 없다.
왜냐면 그들이 자랑한 "삼황오제시대"는 고조선(동이족 문화) 역사이기 때문이다.

그런데도 그들은 하나라 은나라(동이문화) 주나라(무왕)를 중국 시조로 내세운다. 웃기는 민족이 아닐 수 없다.

사마천의 "사기"를 열국지 춘추전국시대 삼국지 서유기 등으로 재미있게 문학소설화하여 지금까지 대중의 인기 차-트에 올려놓게 된 것이다.

우리나라는 어떤가?

해방된지 75년이 지났는데도 아직도 "식민사학"이 한국 역사학계에 남아있으니 그들이 지워버린 "고조선사"를 제대로 가르치겠나?

삐딱이들이(중화사관 식민사관) 주물렀던 "한국역사"를 바로 잡고자 "지구촌 연구소 B"를 설립하려 한다.

겨우 "삼국사기 삼국유사"만 남긴 식민사학은 한국역사학계를 지금도 능멸하고 있는 것 아닌가?

옛날엔 홍콩 대만 중국무협영화가 지구촌에서 대인기였지만 제작비 등 이유로 침체된 상태이다.

육상 전쟁에서 매서운 이스라엘 군대를 이길 군대는 거의 없다고 본다. 향후 중국군과 시리아가 이란에서 맞붙을 확률이 높다.

대만도 인구는 적지만 신예 무기로 호주의 무서운 쥐처럼 중국과 싸울 것이다. 동맹국 "미-일-한"은 대만을 위해 나설 때인데 이스라엘도 참전할 것 같다. 그때가 얼마 남지 않은 것으로 예상된다. 남중국해 "대충돌" 눈에 보인다.

미국의 전술 전략: 바이든과 푸틴의 "우린 싸우지 않는다" 또 "서명"하다

무슨 뜻일까?

지각 대장 푸틴이 먼저 도착한 회담 장소에 바이든이 5분 늦게 도착했다.

중국은 느긋, 북한은 조마조마, 일본은 태연자약, 한국은 무관심, 대만은 기대감, 나토(NATO)는 일단 안심, 탈레반은 자신만만을 표명하는 가운데 국제정세는 "미국과 러시아 미팅"에 관심을 갖는다.

일단 세계적 관건은 중국이다.

만약 "미-중 전쟁" 발발하면 러시아는 "관중"되라는 서명일 것 같다.

"잔잔한 물이 더 무섭다"라는 속담처럼 지금 중국의 "안하무인" 당나라 정책이 한국에서 성공했다고 착각하는 것 같다.

친중파 몇 명이나 될 것 같나?

지들 유학생 조선족 일부 중화사상파 빼면 과연 얼마나 되겠나?

제발 남중국해에서 미국 구축함에 발포하든지, 대만 해역 공격하든지 했으면 한다. 공중전과 해상전으로 승패를 가르는 데는 "60분"이면 충분하다.

러시아만 뒷짐 진다면 승부는 쉽게 끝날 수 있다고 본다.

깊은 골짜기 아니고 평지 영토라면 공중전은 쉽게

끝난다.
그래서 15분 30분 60분이면 일개 국가는 항복하게 된다고 안다.
한국전쟁 때 중국이 개입 안 했더라면, 만주 땅은 우리 땅 아닌가?
미국이 러시아에게 전쟁이 나도 "가만히 있으라."
기가 막힌 전술 전략인 것 같다.
동북아시아 남중국해에서 한 판 붙어라!
아님 대만해협에서...누가 선제 공격 할건가?
바이든과 시진핑 멱살 놓고 총 뽑아라!
동북아 평화 위하여!
항공 모함 전단 3~5척이면 충분하지 않을까?

호주에 "괴 황구렁이"가 집권하여 독재국 되려 한다

호주는 자유민주국가로 알려져 있다.
중국이 남지나 해로 진출하면 미국 캐나다 영국 뉴질랜드와 연합하여 중국 남하를 막게 된다.
그런데 9월이 되자 이상한 집단(?)들이 가짜뉴스를 퍼뜨리는 것 같다. 마치 집권당이 국민을 억압하고 모든 규제를 제재하고 있다고 소문내고 있다.
그래서 현지 한인 사회로 연락해 보니 "가짜뉴스" 일 것이라는 대답이다. 더구나 뉴질랜드에선 중국이 "악선전"할 확률이 높다고 한다.
중국의 "남하 정책"을 가로막는 영국 호주 뉴질랜드 캐나다, 사우디(비동맹이지만 동맹국 이상)으로 단결이 돼 있다고 본다.
2021년 상반기 "쥐떼"와 한판 벌이는 등 곤욕을 치렀지만, 독재국은 아닌 것으로 안다.
중국은 동쪽 연안 바다(상하이 북경 심양 산동반도 발해만)이 고작 해안일 뿐, 나머지는 전부 내륙 산악지대라 할 수 있다. 더우기 중국은 티베트 서역 위구르족 내몽골 만주를 강탈하지 않았나?
코밑엔 대만이 동해 끝엔 한국과 일본이 가로막고 남쪽엔 필리핀 베트남 인도네시아 호주 뉴질랜드가 터-억 막고 있다.
만약 중국 함대가 태평양에 진출하면 미국 항모들이

기다리고 있지 않은가!
중국은 18개국과 국경을 맞대고 있고, 해상도 포위돼 있다고 보면 된다.
무적 인포말(informal) 동맹국 "영국 호주 캐나다 뉴질랜드"는 한패의 국가들 아닌가? 여기에 사우디 인도 프랑스 독일 일본이 합세하고 있고 미국이 진두지휘하고 있다고 본다.
드디어 일본이 "항모"를 진수하여 위용을 나타내고, "센카쿠 열도"를 지켜낼 것이다.
중국의 고민은 대만 문제, 남중국해 진출을 가로막는 호주함대로 남태평양 진출이 어려워졌다고 보인다.
미국의 "11대 항모전단"은 중국의 바다 진출을 억제하고 있다.
그래서 중동지역 아프리카까지 "육상 일대일로 전략을 펼쳤지만 국가경제 위기에 봉착하게 된 것이다. 59개 민족으로 구성된 중국 미래가 어떻게 될까? 만일 '우한 바이러스'의 진실이 지구촌에 까발려진다면 배상은 어떻게 될까? 지금 호주 타령할 때가 아니다. 미국의 아프간 철수를 실패했다고 보이는가? 바이든이 치매로 생각되나? 국제정세는 아무나 논평하는 게 아니다. 근데 지금 "위구르"가 너무 조용하다.

맞서라 대만 캐나다여!

얼마 전 캐나다 군함이 겁 없이 대만해협을 지나 타이페이에 입항하여 중국이 노발대발했다.

하지만 캐나다는 눈 깜짝하지 않고 항해했다. 왜 그랬을까? 그건 중국 공산당이 캐나다에서 간첩 행위를 했기 때문이 아닌가?

마중물(미끼)로 보낸 신형 구축함(일명 미꾸라지함으로 잠수함 킬러)으로 중국이 노려보는 가운데 미국 구축함처럼 여유만만하게 입항한 것이다. 그때 대만도 신예 전투기 비상 걸고 있었을 것 같다.

캐나다와 미국이 왜 시진핑 심기를 건드릴까?

캐나다는 2년 전 '코비드'(코로나바이러스)를 캐나다 세균 연구소에서 중국인이 훔쳐 우한으로 도망을 쳤다는 괴소문을 퍼뜨린 중국 공산당 계략에 말려든 적 있어, 중국을 향한 적대심이 있는 것 아닐까?

작년 미국 구축함이 중국해상에서 훈련하며 지나가면서 "쏠 테면 쏴봐라" 했는데 이번엔 캐나다가 약 올리고 지나간 것이다.

중국 참지 마라! 위협 함포사격이라도 해라. 미국의 진짜 맛을 보게 될지도 모르니까.

대만은 해상과 공중에서 중국과 '맞장'뜨겠다는 것 아닌가?

대만은 "우리 민족은 중국과 하나가 아니다"라는 자국 입장을 명백히 내세우고 있다. 여기에 캐나다와 미국이 대만과 함께 대중국전을 치를 것 같다. 시진핑의 인내심 어디까지일까? 전쟁은 엉뚱한 곳에서 순간 터질 수 있다. 캐나다와 대만이 이걸 노리나?

국제전문가들은 중국의 실책이 터져 나올 것으로 예측한다.

중국내 문제는 자국 책임이지만 영해에서의 충돌이 "극동 전쟁화" 되면 1대 7전쟁이 되고 만다. 미국 캐나다 영국 일본 사우디 인도 호주연합군 러시아는 눈을 감을 것이다. 극동 전쟁 시나리오 미리 써두고 싶다.

여기에 나토까지 합세한다면 전쟁 초반에 중국은 항복하고, 59개 국가 및 소수민족 자치구 민족이 분리 독립하게 될 것이다.

만약 그렇게 된다면 지구촌 친중 정권들 몹시 당황할 것 같다.

이런 극한 상황 안되려면 "미소짓는 중국" 되길 바란다. 중국 실수하지 않기를 바랄 뿐이다.

오징어 게임! 지구촌으로 확산되고 있다

강원도 태백시 인근 고한읍에 세계에서 1~2번째로 큰 도박장이 존재하고 있다. 폐광지역에 어떤 정권이 아이디어 냈는지는 말하지 않겠다.

화투 고스톱의 섰다 도리짓고땡 트럼프 훌라 전투 훌라 등을 "망국의 노름"이라 말한다.

오징어는 다리가 10개, 여기에 2개는 긴 다리로 먹잇감을 움켜잡았을 때 입으로 가져가는 역할을 한다. 우리의 양손이라 할 수 있다.

두 손으로 움켜잡는 게임 도박 같은 경쟁심리가 오징어 게임 아닐까? 10명 투자하여 1~2명에게 몰아주는 게임을 우리는 "도박노름"이라 규정한다.

3명 중 2명은 피박 쓰는 게임 수백 명 중 1~2명만 쓸어 담는 게임인 "오징어 게임"에 빠져드는 사회에 일부 법조 정치 행정가의 이름이 오르고 있지 않은가? 강원랜드 때문에 패가망신 자살 폭망한 사람이 얼마나 많았는가? 이젠 바다 이야기 빠찐코는 거의 없어졌다고 본다. 누가 오씨 가문 오징어 명예를 훼손했나?

오징어는 기분 나쁘다고 한다.

땅따먹기 좋아하는 나라가 있듯이 돈 먹기 노리는 사행성 "오징어 게임" 발로 차버리고 싶다. 이것이 불법 펀드식 아닌가?

스위스 국어는 과연 있는가?

바벨탑이 무너지면서 지구촌 언어는 뿔뿔이 흩어졌다. 서로의 말을 못 알아듣게 된 것이다. 그래도 부분적으로 비슷한 구석이 있긴 하다. 이스라엘 인사는 샬롬이고 아랍권 인사는 살라암이다.

이삭과 이스마엘이 "이복형제"이기 때문 아닐까?.

약 6000년경 "지구 대홍수" 이후 지구는 인간 중심 행성(지구별)이 되기 시작한다. 근데 수십만 년이 지나도 다른 별 화성 금성 목성 토성 달나라 등등에서 아직 인간의 흔적은 안 보이고 외계인 증거(?)만 보인다고들 한다.

스위스는 알프스 요들송을 부르는 나라이다.

관광국이라고? 천만에!

과거 중립국이었지만 히틀러가 군침 흘린 군사 강대국이라 할 수 있다. 뭐라? 국어가 "7개 된다고?" 스위스어 영어 프랑스어 독일어 오스트리아어 이탈리아어 그리스어 등 정말 언어가 복잡한 나라라 볼 수 있다. 18개국에 포위된 중국(58개 족속)처럼 7개국에 포위된 스위스 서커스 줄타기 나라가 아닐 수 없다. 이처럼 너무 위험해 오스트리아처럼 "중립국"으로 선포했는지도 모른다. 그래서 제2차대전 때 알프스 동굴로 행정부를 옮기려 했는지도 모른다. 전 국민 70%가 "독일어"를 사용하고 30%는 지역 방언을 사용한다. 그래서 스위스가 "종교개혁"할 때 독일 다음으로 가톨릭에 반기를 들었다고 보면 된다.

작가는 인류 민족사 연구원이지만 세계역사학을 더 공부한 인물이다. 주로 독학했는데 강단의 교수들(식민사학 중화사학)을 싫어한다. 기자 입장은 아예 무시한다.

스위스 역사를 연구하면서 연대별 비교역사를 집필하고 있다. "연대별 각 나라 비교역사"도 써보려 한다.

전 국민에게 월 300만 원 지급 제안을 거부하는 스위스 국민의 민족성은 과연 본받을 만하다고 본다. 스위스는 시계 철통 은행뿐 아니라 세계 각종 기구와 기관이 모두 모여있는 "단체 허브국"이라 할 수 있다.

자녀를 스위스로 유학 보낸 부모들은 부자 아니면 권력형이라야 가능하다고 한다.

스위스 가려면 독일어를 배우라. "*이히 빈 슐러*"(저는 학생입니다.) 독일인의 스위스 사랑 남다르다. 영화 "사운드 오브 뮤직"보면 알프스 관광 끝! 그래도 스위스는 가 보고 싶다.

카자흐스탄 만만세!

카자흐스탄은 바다없이 지구촌에서 9번째로 큰 나라이다. 이 나라는 주로 수입 생선과 호수 고기로 영양 보충하고 있다.

카자흐스탄 역사를 살펴보면 다른 국가처럼 세계 대홍수 단군신화 빙하기 이후 등 여러 신화를 알고 있는데 특히 "단군신화"는 호랑이 곰 등 우리와 거의 같다고 보면 된다.

단군조선(우리는 고조선)이 5만 리 영역이라면 오늘날 유라시아(중앙아시아)가 한반도 만주지역에서 보면 "5만 리"가 맞다고 본다. 북부여와 고구려가 고조선의 후예라면 세계사는 맞아 떨어진다. 이 사실을 지우려고 식민사학과 중화사학이 얼마나 "발광"했는지 아는가? 왜곡의 대표주자들이 자기네 역사를 고쳐가면서 "단군역사"를 말살시킨 것이다. 지금도 후예들이 대학 강단에 있다는 게 얼마나 부끄러운지 모른다. 진정한 역사 독립을 못 이룬 한국 역대 대통령들의 "역사인식"에 문제가 있다고 본다.

1937년 연해주에 살고 있던 20만 명의 고려인들을 "강제이주"시킨 스탈린의 속셈은 후일 일본이 소련편에 섰을 때 한국인(고려인)이 연해주에서 반란을 일으킬까봐 미리 고려인들을 "카자흐스탄"으로 강제 이주시킨 것이다. 얼마나 머리좋은 공산당인지 모른다. 소련이 일본을 위해 고려인을 이주시킨 사건을 아는 사람이 별로 없다.

한국전쟁 중(1953년 봄날) 의문의 즉사로 운명을 달리한 스탈린을 애도한 사람이 없다는 게 특징이다.

카자흐스탄의 중앙은행에서 "단군전 기념화폐"를 발행했다. 고조선의 지배 아니면 고려인의 조상 "단군역사"를 숭배하기 위해 만든 "기념화폐"로 보면 된다.

우즈베키스탄 카자흐스탄 등과 교역 지원에 인색했던 원인은 통치자의 역사 인식이 부족해서이다.

우리 민족과 비슷한 태국의 고산족 부탄마을 중앙아시아 일부 티베트 소수민족 캄차카반도(축지민족) 북극해 사미족 등등이 우리가 찾아야할 우리 민족 아닐까? 외교부는 도대체 뭘하고 있나? 우리와 같은 언어를 사용하는 나라 분명히 있다. 지금이라도 "지구본" 돌려 보시게나.

류큐섬(오키나와)의 고려인 원주민이 궁금하다

역사학은 참으로 신기하고 신비로운 학문이라 본다. 그냥 인문학으로 보면 좀 어려운 "상식학문"으로 보이지만, 공부할 때 그 민족사도 알게 되면 무척 재미있다.

오키나와 원주민 "류큐족"이 수상하다. 그들 문화에서 "고려인의 향취"가 묻어나와 정감이 간다.

12세기 몽골의 칭기즈칸이 전 유럽과 실크로드 주변 국가들을 점령했지만, 고려와 일본은 완전 정복을 하지는 못했다. 그 당시 "삼별초의 난"이 발생해 송도(개경)에서 반항하던 배중손 장군의 삼별초가 진도와 제주도로 피신을 하게 된다. "싸우면서 후퇴작전"하는 삼별초의 정신은 실로 창대했다. 고려사 공부할 때 진도와 제주도까지 "역사 탐구"했다. 이제 오키나와에서 고려 문양 "기왓장" 발굴 등을 더하면 류큐족은 고려 후손일 가능성이 높지 않을까?

우리 역사의 2가지 "치욕"이 있다.

"신라 당나라 연합군", "고려 몽골 연합군" 이것이 역사의 실패라 할 수 있다.

중국과 북한이 싫어하는 미군기지가 있는 오키나와는 우리 민족의 관계성 때문인지 친근감이 더해짐을 느낀다. 일본인은 싫지만 류큐족은 왠지 싫지 않은 게 "피가 통해서일까?"

바이킹족과 앵글로색슨족은 철천지원수 사이일까?

로마 말기 영국은 로마의 침략을 받아 "300년간 식민지 생활"을 맛보았다. 영국 본토 아일랜드는 정복을 당했지만, 북쪽 스코틀랜드는 정복당하지 않았다. 속초의 울산 바위 알프스 바위산 히말리아 계곡산 티베트의 차마고원 뉴질랜드의 바위계곡산 한라산 지리산 태백산같이 깎아지른 산악지대인 스코틀랜드는 감히 로마가 접근조차도 못했다고 한다. 지금의 런던은 옛날 말 사육장이었고, 옥스퍼드는 말 목욕탕이었다고 한다. 로마의 끈질긴 뚝심에도 불구하고 로마가 스코틀랜드를 정복하지 못하고 바이킹 해적과 전투를 일삼다가, 훈족의 침입으로 마지못해 영국 철수를 감행한 로마는 끝내 파멸을 맞이한다.

권력과 권세는 하늘의 뜻이라 한다.

미국 중국 절대 자만하지 마라!

지구촌에서 "역주행"하면 반드시 구소련이 될 것이다.

"건설은 1000년 멸망은 하룻밤" 6000년 역사가 증명하고 있지 않은가?

영국은 로마에게 정복당했지만, 스코틀랜드인의 저항으로 강대국 "해가 지지 않는 나라"가 되었던 것이다.

배달민족을 살리겠다는 영국 왕실 언젠가 빠른 시일내 "성취" 될 것 같은 예감이 든다.

헤밍웨이의 "노인과 바다"

유럽은 중세에 르네상스의 불길이 타올랐다. 미국은 1900년대 헤밍웨이를 필두로 문학인들이 문단을 조직하고, 문학 르네상스의 길을 열면서 주마다 많은 숫자의 소설가를 양산하기 시작했다.

프랑스는 "노틀담의 곱추"를 미국은 "노인과 바다"를 러시아는 "부활"을 영국은 "로빈 훗"을 독일은 "안네의 일기"를 영화화하면서 문학의 르네상스는 절정기를 맞이한다.

지금쯤 70대 전후의 세대의 머릿속에는 "톰 소여의 모험" "허클베리 핀의 모험" "켄터키 옛집" "조지 워싱턴" 등등이 떠오를 것이다.

이러한 미국 문학의 대표작들이 한국소설로 번역되었고, 이는 한국의 문단에 불을 붙여 그 영향을 받아 6~70대 문호들이 많다고 한다.

해양역사의 터줏대감이 "신밧드의 모험" "로빈슨 크루소" 이야기에 빠져있을 때, 한국에서 김경언 만화가의 "의사 까불이"가 아동의 우상이 되었고 지금의 7~80대는 김성환 선생의 "고바우"에 꽂혀 있었다고들 한다.

한국전쟁 이후 "심술 여사"가 국민에게 욕을 많이 먹었는데 21세기 후반 실제로 욕심 똥고집 간교함 안하무인 출세에 눈먼 심술 여성들이 실제로 우리 눈앞에 비일비재해 작가의 예지력에 놀라울 뿐이다.

해가 저물고 긴 밤을 지새우고 나면 아침이슬이 알알이 맺히게 돼있다. 양희은의 "아침이슬" 가사를 기자가 된 후에야 군사정권이 왜 금지곡으로 지정했는지 알게 된 것이다.

문학예술엔 표현의 자유가 필요하다.

"태양은 대지 위에 붉게 타오르고..."

군대 시절 논산훈련소 이야기를 나의 작품에 담았을 때 경고를 받기도 했다.

우리 가문은 해군 해병대 육군출신들이야!

'쓰잘데기도 없는' 얘긴 집어치워라.

1970년대 군생활 1980년대 산업역군 2000년도 언론생활 시작해서 2022년 퇴직을 앞두고 있는데 퇴직 전에 꼭 쓰고 싶은 게 있다. 독수리 10형제와 뻐꾸기 7자매이다. 논평을 문학계에 던지고 싶다.

바다의 노인처럼 초대형 참치를 사투 끝에 잡았지만, 집에 오는 동안 상어들이 다 뜯어 먹어 뼈만 남은 참치이야기가 독수리들의 실제상황이 되지 않을까 싶다.

뜯어 고쳐야 할 식민사관 중화사관 말살된 고조선 역사 지금이 아니면 그들의 후학들에 의해 뱀꼬리가 될 것이다.

역사인식이 거의 없는 대권 주자는 조용히 도중 하차하는게 좋을 듯하다. 전직 대통령들을 보라.

이번엔 기자회견 때 꼼꼼이 냉정하게 질문해 보려한다. 지금이라도 "역사 공부 역사 인식"에서 'A+' 되길 바란다. 바다 노인은 배 밑에 잡아서 끌고 가던 참치를 상어들이 포식한 걸 몰랐을까?

티베트 소수민족의 풍습이 신기해!

고구려의 "처가살이"는 동양에선 신기한 혼례방식이다. 1년간 처가에서 머슴 노릇을 한 뒤 정식으로 사위가 되는 풍습이 고구려 역사서 "유기"에 기록돼 있다.

몽골의 옛 풍속을 보면 귀한 손님 접대할 때 자기 부인이 시중들도록 했다. 에스키모인들의 얼음 돔에 손님 오면 자기 부인이나 여동생이 시중(?)들게 하다니 실로 이상한 풍습이 아닐 수 없다.

또 남미의 "아마조네스" 인디오는 강한 자손 위해 튼튼한 남자에게 성시중 들게 했다. 남편이란 제도가 아예 없었다고 보면 된다.

지금은 "일부일처제"이지만 무슬림의 경우 재산이 많고 적음에 따라 부인들 숫자가 늘어난다. "일부다처제"로 남성 천하라고 할까?

여기에 반발하고 나선 민족이 있는데 바로 티베트의 소수민족 "먼바족"이다.

먼바족의 여성들의 생김새와 몸맵시는 동남아 동북아 실크로드 국가 중 단연 최고로 손꼽힐 정도로 빼어난 미모를 가졌다고 한다.

"일처다부제도"로 미모에 따라 남편 숫자가 결정된다니 이 또한 기이한 혼례 전통이 아닐 수 없다.

그런데 지구촌 "596개 민족" 중 남편 여럿과 사는 소수민족 먼바의 남자들에겐 "질투 투기 의처증 시기" 등이 없는 게 특징이라 한다.

산사태 홍수사태도 "쓰나미"랍니다

2021년 7월초 일본 아타미 지역에서 산사태가 발생했는데 마치 쓰나미처럼 가옥을 덮치고 살생하며 강으로 흘러 피해당한 사건이 지구촌의 토픽감이 되고 있다.

오래전 속초 노학동 산사태와 교동 침수 사건으로 인명피해가 발생했고 서울 서초동 산사태로 가옥이 휩쓸려가는 장마철 "산 쓰나미"가 발생했었다. 쓰나미는 바다의 전유물 아니고 강의 홍수, 산사태도 일종의 쓰나미로 봐야 한다.

2011년 후쿠시마 쓰나미로 원전이 공격을 받아 세계가 놀랐다. 육지지진과 바다 지진이 후쿠시마를 강타하고 엄청난 피해가 생겼다. 상습적인 지진의 나라 일본에 또다시 쓰나미가 예상된다고 한다.

429년 전 일본은 조선과 명나라 문물을 탈취하기 위해 히데요시가 "임진전쟁"을 계획적으로 일으켰다고 본다.

그 당시 일본은 문화문명이 저하돼 있고 백성들은 자기 이름조차 없었다. 믿기지 않는 문맹국이 아닐 수 없다. 뚱보는 "비게상" 눈이 이쁘면 "목게상" 말 잘하면 "논개상" 빼빼 마르면 "갈비상"이라 불렀다고 하니 말이다.

"조선은 문명국이니 무조건 문화재 가져오라."는 히데요시의 한마디에 왜군 20만 명, 도굴꾼 10만 명이 조선 땅을 침략한 것이다.

이제는 "임진왜란"이란 말 대신에 "임진문화전쟁"이라고 하자.

진주의 논개는 사람 이름이 아니고 별명(말 잘한다고)을 왜장들이 부른 것을 그대로 역사에 기록한 것이다.

논개의 정체는 문장력과 말 잘하는 "주씨 성"을 가진 여인네로 알려졌다.

임진문화전쟁 당시 한국 호랑이 바느질과 밥 잘 짓는 여인네들 도자기 각종 문화재 등을 도굴꾼들이 훔쳐갔다.

백성들을 "개돼지" 취급했던 사무라이 정권 "도요토미 히데요시"가 바로 전범이다.

왜곡의 달인 일본과 중국의 역사는 잘 믿기지 않는다.

식민사관과 중화사관을 신봉한 역사가들 역시 믿을 수 없다.

세계 최강을 자랑하는 미국에게

알래스카의 인디언들과 괌 사이판 원주민들은 자기네가 "미국령"인걸 무한한 자랑으로 여기고 자부심을 가지고 산다.

미국 국기 티셔츠 모자 바지 장갑 머플러 심지어 자동차에까지 미국기를 도색하고 다닌다. 괌의 자랑이라나?

오늘은 지구촌에 파병된 미군들과 미국인들에겐 아주 특별한 날이라 할 수 있다. 그리고 건국의 아버지 "조지 워싱턴"을 기리는 날이기도 하다. 약 300년 전 (우리나라는 영조 정조시대) 북미에서 독립전쟁이 한창 벌어졌는데 캐나다 일대를 점령했던 프랑스군과 미국 독립군이 필라델피아 뉴욕주 일대에서 영국군과 치열한 공방전을 벌였다. 여기서 조지 워싱턴은 끝내 영국을 물리치고 "미국 독립"이라는 기적을 일궈 낸 것이다.

지구본에 있는 각 나라는 "생일"을 갖고 있다.

심지어 무장단체도 생일이 있다.

왜곡의 천재(?) 일본, 사기성 높은 중국이란 표현이 딱이다.

중국의 "사기 역사서"만 보더라도 사마천은 정직했지만, 일본처럼 역사가들은 정직하지 못한 것 같다.

급조한 나라들은 "신화"가 없고 "일화 전설"로 창작 역사를 만들었다가 "국제 망신" 당하지 않는가?

5천년 역사의 주인공들은 이스라엘 이집트 중국 인

도 티베트 사우디 이란 한국뿐이다.
역사 비아냥파들이 "역사가 밥먹여 주남?" 하지만 원앙이 기자 통해 우리는 세계역사를 튼튼이 독학해야 한다.
 조지 워싱턴의 건국 이념은 "속박에서 벗어나 자유롭게 살자."는 것이다. 현재의 지구촌 가운데 부자유한 나라들이 많다. 미국처럼 자유의 여신상 세우는 국가들이 지구촌의 "토픽감"이 될 것 같다.
 미국 독립일 "7월 4일"과 건국의 파파 "조지 워싱턴"을 기억하는 날을 맞아 미국의 생일을 축하한다 진심으로!

앗! 러시아 소수민족 "예벤키족"이 우리 민족?

 세계에서 7번째로 큰 호수 "바이칼"이 몽골과 러시아 사이에 위치해 있다.
 수천 가지 동식물이 서식하며 민물인데도 바다가오리 바다가재가 사는 미스터리 호수로 한국의 3분의 1 면적의 호수이다.
 바이칼호수 북편 러시아 땅에 거주하는 소수민족 "예벤키족"의 얼굴이 우리와 닮아있다. 또 그들 설화에 "나뭇꾼과 선녀 이야기"가 전해지고 있는데도 역사학계는 별다른 반응을 안 보인다.
 민족사하면 왜 중국과 북한을 연상하는가?
문화공보부 예산을 어디로 소진하나?
고조선 부여 고구려 발해 유민들 행적 조사를 왜 안 하나? "예벤키족"이 밀양 아리랑에 나오는 우리말 아리랑(맞이하다) 쓰리랑(느껴서 알다)을 지금도 사용하고 있다고 하니 우리의 후손일 것으로 추측된다.
 인구 8만(속초시 인구수에 상당함) 예벤키족이 유목생활을 접고 목축 상업 등으로 비약하는 대한민국을 바라보며 자기네 조상을 기린다고 한다.

네덜란드, 너 왜 그래 도대체!

폴란드는 우리 민족과 대체로 사이가 좋은데, 네덜란드(풍차의 나라)는 한국과는 앙숙이다. 그래서 한국의 참치 원양어선단의 네덜란드 항구 입항을 주저한다.

좀 불편해도 룩셈부르크나 덴마크로 입항한다. 왜 그럴까?

우리가 중국과 일본을 싫어하듯 네덜란드도 한민족을 싫어한다.

1500년경 네덜란드 가톨릭 신부가 일본 중국 조선에 선교차 왔다가 모진 박대를 당한 것에 대해 바이킹족 후손들이 유독 한국에만 분풀이하고 있는 것으로 보인다. "동방견문록"에서 조선을 악평한 기록 때문인지는 현재 네덜란드에는 우리 교포는 별로 없다고 한다. 400여 년이 지난 지금까지도 그 감정이 남아있는지 한국을 깔보고 있다. 30위권에 머물고 있으면서...

한국의 달걀 참치 한국제품 폄하(아마도 중국 제품과 혼돈하나 보다) 개고기 타령 축구 폄하(한국 만나면 사생결단 덤벼) 등등으로 민족 차별한다. 네덜란드인들이 '차이나?' '니혼진?' '코리아?'하고 물어보면 이 사실을 아는 사람은 '니혼진'하고 슬쩍 빠진다고 한다.

민족감정에 관한 한 일본 중국 네덜란드로 순위를 정하고 싶다.

우리 달걀의 살충제 성분과 자기네와 무슨 상관이 있

다고 사사건건 지네들 언론에서 떠들고 있는가?
족보없는 해적 후손들의 "역사의식"이 턱없이 부족한 것 같다.
한국 외교 관계 개선이 시급하다. 외교부는 어디서 뭘 하고 있나?
세계 596민족을 방문하지는 못해도 최신 지구본으로 매일 들여다보며 민족사연구에 몰두하려 한다.
유럽사(동서남북)에서 로마 그리스 가나안 전쟁 대홍수까지 거슬러가는 민족역사를 미니 논문화하려 한다. 배달민족 홍익인간 아라리 민족(아리랑 민족) 뜻으로 보는 고조선 이전 민족에 대해 원시시대 이후 역사에 대해 깊은 관심을 갖고 서술하려 한다. 그 해답은 지구촌 596개 민족 역사 속에 감춰져 있는데 실마리는 "수메르 민족"에게 있다고 본다.

버나드 몽고메리 장군

1887년 우리나라는 고종임금이 일본 압력을 받으며 엄청나게 고심하고 있을 때, 영국 몽고메리 가문에서 사내아이가 태어났다.

당시 영국엔 "버나드"라는 이름이 한국의 철수만큼 많았다.

버나드는 성장 과정에서 성격이 단호했고 불의와 담을 쌓은 철학자 "아리스토텔레스"같은 성격으로 육군사관학교를 졸업하고 인도 팔레스타인 아일랜드 아프리카 튀지니 등 영국 육군 원수가 될 때까지 수많은 전투 작전을 성공으로 이끈 세계 유일한 "장군"으로 한국의 이순신 장군만큼 유명한 "전술 전략가"였다.

세계 제1차, 제2차 대전에서 영국군 승리에는 반드시 몽고메리 장군이 있었다.

특히 유럽연합군의 총지휘자로 히틀러 나치를 괴멸시킨 "노르망디 상륙작전" 성공이 전쟁을 끝냈고, 이후 "육군 원수"로 "세계 장군 서열"에 1위가 되어 최고훈장 "가티훈장"와 영국 왕실에서 내린 "바스훈장" 수여받고 "자작 직위"로 가문의 영광이 된 것이다.

영국의 직위는 "공작 백작 자작"으로 후손에 이르기까지 그 명성은 대단하다.

1887년에 태어나 1976년에 작고한 버나드 몽고메리 장군은 89세 당시로는 초장수했다고 본다.

1976년 제약회사 입사시험에 나왔던 "영웅"이라 오래도록 기억에 남아있는 듯하다.

인간의 수명은 에너지 공장의 미토콘드리아 세포가 관장하지만 30% 연장은 "강인한 정신력"이라 본다.

"버나드 몽고메리 원수"는 어릴 때 말썽꾼이었고 공부도 못했다고 한다. 그런 그가 군인 중 최초로 "자작 직위" 받아 더 유명한 인물로 역사에 등재되어 세계 최고 장군으로 명성이 후대까지 전해져 존경받는 인물이 되었으니, 될성부른 나무는 떡잎부터 알아본다는 속담이 꼭 정답은 아닌 듯하다.

박빛나, <어디로든 갈 수 있는 구두>

추위를 잘 견디는 그들, 우리 민족 맞나?

북극해 핀란드 시베리아 동쪽 캄차카반도(축지반도) 북만주 북유럽 폴란드 헝가리 알래스카 캐나다 인디언 남미 인디오 부탄 X마을 태국 고산지대 중앙아시아(유라시아) 실크로드(커피로드) 폴란드 핀란드(북극해) 등 동서남북으로 흩어진 "유민"(고조선 부여 고구려 발해국 등)인 그들은 나라 잃은 서러움 안고 집단으로 만주지역을 벗어난 것이다.

유태인은 흩어져도 그들 문화가 단순했지만, 우리 민족은 문화가 특별해 아리랑 같은 춤과 가락 등이 지금까지 인디안 인디오 등이 부르고 있지 않은가?

연날리기 팽이치기 땅따먹기 자치기 장례 혼인 풍속이 우리와 흡사하고 춥네 춥지 추워 아이구 어쩌나 등 한자로 표현못하는 순수 한글(가림토)를 사용한 인디언들 마야문명 잉카 아즈텍 문명에서도 발견되고 있다.

풍속 언어표현 전래문화가 비슷하면 우리와 같은 핏줄이 흐르고 있다고 봐야 하지 않을까?

혼혈이 늘어나도 DNA는 바뀌지 않는다.

동양인처럼 생긴 원주민을 뉴질랜드에서 본 적이 있다.

유독 추위를 잘 견디는 민족을 우리는 홍익인간 배달민족 동이 민족이라 부른다.

세계 민족 596족이 서로 말은 달라도 눈빛은 비슷하다. 풍습과 생각이 같기 때문 아닐까?

고대 전쟁사를 공부하면 "기원전 전쟁사"가 한눈에

보인다.

만약 중국 한나라 시대 로마의 정치사를 들여다보면서 "연대별 비교역사"를 공부하면 얼마나 재미있을까?

영국이 300년간 로마의 식민지?

스웨덴 국왕이 프랑스인? 중국이 몽골의 속국(원나라 우리는 고려시대)? 역사는 사라진 나라들을 기억하는 학문이며 인류를 연구하는 "지렛대" 역할을 한다고 본다.

박빛나, <알라스카로 가는 길>

알래스카는 보물창고네

1865년 미국 17대 대통령에 당선된 "앤드루 존슨"은 어린 시절 너무 가난하여 초등학교를 못 나오고, 양복쟁이 시절 "독학"한 미국 대통령이다.

미국 "남북 전쟁" 때 에이브러햄 링컨 대통령을 보필한 부통령으로 전쟁에서 승리를 이끌었고, 17대 대통령선거 때 유세 도중 상대 유권자들이 "학교도 제대로 못 나온 인간이 대통령이 되겠다고?"라며 업신여길 때 존슨은 "예수 그리스도께서는 어릴 때 예루살렘 공회당에서 랍비들과 토론한 것이 전부이지만, 지금도 가장 위대한 하나님의 아들 아닙니까?" 이 말에 청중이 이내 숙연해졌다고 한다. 그리고 과거와 현재도 중요하지만 "미래"는 더욱 중요하다고 강조하며 연단을 내려왔는데 그 연설에 큰 호응이 뒤따라 마침내 제17대 미국 대통령으로 당선된다.

존슨 재임 시 뜻밖의 정보를 입수한 존슨 대통령은 백러시아로부터 불모지 "알래스카"를 단돈 "720만 달러"에 사들였다. 그 후 존슨은 의회 연설에서 "보물창고"를 송두리째 가져왔다고 연설했는데, 그가 예견한 대로, 과연 알래스카는 천연가스 석유 금 군사 요충지로 그야말로 위대한 선진 No. 1 국가로 만든 지역으로 탈바꿈했다.

절대 긍정으로 미래를 예견한 국민의 지도자 "앤드류 존슨의 안목"이 정말 놀랍다.

아마존강 밀림 속 최고 단백질은?

중세 유럽국가 중 스페인 포르투갈은 남아메리카에 상륙하여 재물착취에 온갖 만행을 자행했다. 주 타킷은 브라질 아르헨티나 칠레 페루 에콰도르 등 아마존강이 흐르는 지경의 원주민들의 금은보화를 칼 창 방패 등과 맞바꾸는 전략으로 주로 금덩어리 사금을 몽땅 털어가고, 가톨릭을 전파했다. 그러니 지금도 남미의 가톨릭에 대한 인식이 썩 좋은 편이 아니라 한다.

감자의 원산지가 남미 고산지대 아닌가?

고구마와 감자가 유럽으로 전하던 때, 왕족 귀족 상류층은 고구마를 서민들은 감자를 선호했다. 지금도 유럽은 감자와 고구마로 상류층과 하류층을 구분한다고 한다. 그럼 원주민들의 단백질은 무엇일까?

탐험가들에 의하면 거대한 뱀이었다고 한다. 탐험보고서에도 "구렁이 사냥이야기"가 나온다. 1m 이상 3m 되는 뱀을 창을 던져 사냥해 먹잇감으로 삼았다 한다. 뱀의 대왕격인 아나콘다는 인디오족도 한입에 삼켰다 하니 아마존에서 가장 무서운 파충류가 아닐 수 없다.

에콰도르에서는 소녀를 삼킨 뱀을 금방 잡아 뱀의 뱃속을 갈라 살렸다는 일화도 전해진다. 밀림 속 단백질 공급은 단연 "뱀고기"이다. 그래서 뱀새끼들은 알에서 깨어나면 숲속에 숨어 이슬 곤충 등을 잡아먹으며 "본능 성장"한다고 한다.

보통 6~10m짜리 아나콘다가 발견됐다고 하는데 어

느 선교사에 의하면 12m짜리 뱀도 발견됐다고 한다. 먹거리로 고생하는 에콰도르에는 뱀사냥 전문학교도 있다고 한다.

어쩌면 우리도 "남미뱀"을 수입하게 될지도 모른다. 뱀 바베큐 이야기 들어보셨나? 세계 식량 부족이 오면 남아메리카는 당장 거대한 뱀사육 왕국으로서의 면모를 과시하게 될 것이다.

명궁으로 꼽히는 동명성왕 이성계 로빈훗 윌리엄텔 이순신 도쿠가와 이에야스 최영 장군이 생각난다. 이들은 "신궁"으로 우리 기억 속에 남아있지 않은가? 아참! 고구려 양만춘 연개소문 을지문덕 장군도 "주몽"(활의 신)이란 말을 듣고 있다고 한다. 주몽들 지금 아마존 밀림으로 뱀사냥 떠나면 어떨까?

누나 몰래 돌을 던져라!

동요가 어른들에게 던지는 메시지 파동은 현대문학에서 "금개구리"급이라 말한다.

경남 양산 통도사에 가면 커다란 바위 구멍에 금개구리가 사는 데 힘이 장사라 황소개구리와 싸움시키면 막상막하라고 한다. 진짜일까?

호주엔 뱀하고 싸우는 "들쥐"가 있다고 한다. 얼마나 힘이 센지 구렁이 정도는 쥐 몇 마리가 간단히 물어 죽인다 한다. 그래서 호주에서 "리틀 헤라클레스"로 불린단다.

돼지보다 머리 좋은 쥐, 특히 흰쥐는 실험실에서 인간을 위해 자신의 배 가르기를 얼마나 오랫동안 감당했던가?

근간에 지구촌 기후변화가 쥐의 뇌파를 교란시켜 미쳐 날뛴다 한다.

아열대기후 온난화 검은 연기 황사 모래바람 매연 오폐수 등등 "환경재앙"은 날로 심화되고 있지 않은가?

청정지역은 점점 사라지고 록키산맥 알프스산맥 장백산맥(백두산) 킬리만자로산 핀란드의 북극해 뉴질랜드 남극해 몽골초원 축지반도 알라스카 빙하 티베트고원 일본 후지산 볼리비아 5000m 최고봉 남미 안데스산맥 영국 스코틀랜드산 등 이제 청정지대는 없다고 봐야 할 것 같다.

동화의 나라 네덜란드 동시의 나라 칠레 동요의 나라 대한민국 "퐁당퐁당"은 폰지 인종을 위한 노래라 본다.

퐁당퐁당 돈을 던져라. 남편 몰래 부인 몰래 아이들 몰래 사돈 몰래 폰지 연못에 돈을 던져라.

기막힌 펀드꾼 노래 아닌가?

낼모레 돈 나온단다. 어서어서 던져라!! 악어 입 가진 사기꾼들 또 악어새들을 조심하고 경계하자. 악의 종자 베스들을…

퐁당퐁당 돈을 남편 몰래 부인 아이들 친척 몰래 "돈"을 던진다. 근데 이들은 쫄딱 망해도 또 돈을 던진다. 왜냐 이미 편집증 환자 됐기 때문이다. 아이의 결혼비용까지 악어에게 바친 엄마들 지금도 이곳저곳에 투자하고 있지 않은가? 모래시계 사기꾼들은 절대로 돈 벌게 하지 않는다. 누나 몰래 돈을 던진 사람들 깊이 반성하고 유턴하길 바란다.

Part 3

코로나 19 매일 묵상

환경 이야기

초대형 오징어

뉴질랜드엔 초대형 오징어가 살고 있다
오징어 한 마리를 50명이 먹는다면 믿을 수 있을까?
뉴질랜드 남섬 남극해 인근 해역에서 길이 7~9m 초대형 오징어가 그물에 걸려 지구촌 화제가 되고 있다.
오징어과 주꾸미와 한치는 보통 다리에서 꼬리까지 2~30cm 전후 크기로 회, 반건조, 순대 구이, 양념 찌개, 무침 요리에 들어간다. 대중의 인기가 높은 바다 생물이다.
오징어 이름은 '오직아'(조선시대) '이까'(북한) '수루메'(경상도)로 불리며 꼴뚜기, 주꾸미, 한치는 오징어 사촌이다.
베트남의 동해 바다, 한국의 동해, 일본의 서해, 러시아의 남해, 뉴질랜드의 동서남북 바다에서 잡히는 오징어는 냉동된 채로 거의 한국행이다.
근래에는 동해 남해 서해에서도 잡히는데, 지구촌 기후 변동 때문이란다.
가자! 오징어 잡으러 울릉도로 러시아로...
그런데 참치잡이라면 몰라도 뉴질랜드까지는 힘들다고 한다.

대진 초도 어장 대왕문어(2m) 이야기

군사분계선 최전방 인구 2700여 명 강원도 대진면에 "초도 저도 황금어장"이 있다.

군사분계선이라 해군 경비함과 해경 경비정이 주둔하고 있는 영해이다.

1967년 12월 명태잡이 300척 어선을 지도하던 해군 56함(당포함)이 북한 인민군 해안포대의 집중 포격을 당해 격침되는 사태가 벌어진 곳이기도 하다.

강원도 고성군 거진읍 대진면 대진리는 북한과 한 치 거리에 있지만, 주민의 70%는 어업에 종사하고 있다. 최북단 대진리엔 해녀 머구리배 기타 저인망 배들이 조업하는데 수입이 짭짤하다 한다.

제주도보다 규모가 작지만, 해녀 구성은 5~60대가 주축이 돼 가정 수입의 80%가 된다고 한다. 대진 어항과 인접한 초도 어장에서 오늘도 해경의 철저한 점검 후 조업하는 주민의 표정은 너무 밝다.

엄동설한 빼고 장날처럼 조업 날짜 시간을 엄중히 통제하는데 일정 기간 되면 초도 어장에 출입시켜 무지무지하게 자란 2m짜리 왕 문어를 잡아내는 해녀가 있어 화제가 되고 있다. 휴전선 마을 2700여 명의 생활 터전 초도 황금어장에서 잡아 올린 싱싱한 수산물은 거진과 속초 횟감 자연산으로 관광객들의 인기를 독차지하고 하고 있다. 대머리 대왕 문어가 해녀에게 꼼짝도 못 하는 이유인즉슨 부드러운 미소에 반했대나!

회귀본능은 "고향이 그리워"

인간에게만 "고향"이 있는 건 아니다.

곤충류 조류 어류 동물들도 자기가 태어난 곳을 기억한다고 한다.

심리학에선 "회귀본능"이라 한다. 간혹 꿈속에서 헤엄치면 그건 어머니 뱃속 양수에 뜬 때라고 학자들은 말한다.

연어가 태어난 강원도 양양 남대천 강에서 태어나, 캄차카반도(축지반도)로 가서 살다가 다시 남대천으로 돌아가 새끼 낳고 생을 마감하는 연어의 미스터리는 지구촌의 "화제"라 할 수 있다.

"고향이 그리워도 못 가는 신세"가 있기도 하지만 기회만 닿으면 가려는 곳이 고향이다.

옛적에 본토(고향)를 떠났던 고조선 고구려 발해 유민들이 지구촌 곳곳으로 흩어져 지금도 소수민족으로 살아가고 있다.

그들의 조상은 말한다.

옛적에 아주 넓은 땅에서 살았단다.

넓은 땅?

지금의 한반도는 분명히 아니다.

틀 밖의 역사를 억지로 틀 안으로 구겨넣은 식민사학 중화사학 본토사학들은 "인류 민족사"를 거론하지 말라!

본토 사학은 식중파(식민 중화사학)라 불러야 한다.

역사 크루즈 타고 "역사의 고향"을 탐방해 보자.

지금도 그들은 한국을 "조상의 나라"로 흠모하고 있지 않은가? 세계 "596개 민족 이야기"도 책으로 펴낼 것이다. 작은 지구촌이지만 쓸 글은 많다고 본다. 기자나 작가는 자기 글을 읽어주는 애독자를 존중한다.

아름다운 대한민국이 무슬림 중국인 빼고 우리와 같은 세계 소수민족과 교류하는 대국이 되면 안 될까?

박빛나, <문어라면 재료 준비>

신 국립공원 오소리 각하 등장할까?

한때 "동물농장 독재자 도야지 각하"가 지구촌을 뒤흔든 적이 있었다. 비록 만화 영화였지만 도야지들의 난폭성을 닮은 영화와 소설이 80년대를 주름잡았다고 볼 수 있다.

그 후 30년이 지난 2021년 철갑을 두른 동물이 나타났다.

야생 오소리! 맹독성 살모사 물뱀(꽃뱀) 정도야 갈고리 앞발로 가볍게 제압한다.

외국 오소리는 사자나 하이에나와 싸워도 이길 확률이 높다고 한다.

지구촌 야생동물 연구 보고서에 새롭게 등장한 싸움꾼 "야생 오소리"가 전국 각 지역에서 발견되고 있다.

갈구리 발톱은 섬뜩한 무기이자 소형 포크레인이다. 그래서 이웃사촌 너구리집도 공짜로 파준다고 한다.

한 가지 흥미로운 사실은 "저축성 동물"이란 점이다.

사냥한 먹잇감을 말려 "먹이 동굴"에 저장한다고 한다.

꿀벌 습성인 것 같다. 한국의 "신 동물농장"에서 사나운 동물은 자취를 감췄고 야생 오소리가 신 동물농장에서 멧돼지를 밀어내고 새 주인이 된 것이다. 뉴질랜드 사모아 통가국 스위스 등엔 포악한 짐승이 고작 "돼지"뿐이란다.

자연 생태계에 안 보이는(인포말 규약) 규범이 있다.

"자연을 노하게 하지 마라." 환경 십계명 속 5번째

말이다.

석면의 대반격 이야기다.

잘 생긴 나무는 거부들의 정원으로 가고 결국 못생긴 나무가 산을 지키는 것이다.

"신 동물농장"에 오소리 같은 용맹스런 인물이 출연했으면 하는 것이 관객 바람일지도 모른다.

참치잡이 전쟁: 드넓은 태평양 한국 원양어선 경쟁력 발휘해

선원 총 23명 중 선장 기관장 갑판장 3등항해사 조리장 1급 선원을 제외한 15명은 외국인 선원들이다.

원양어선 "참치잡이 전쟁"은 바다와의 사투이며 "국제해양법"이 엄격한 가운데 조업을 하는 것이다. 우리는 참치와 삼치를 구별하지 못한다. 삼치는 고등어 크기이고 참치는 연어만큼 크다.

선장은 선박 내 대통령이고 선원들은 복종이 미덕이다.

적도 부근 통가 국의 참치는 원양어선의 "보물창고"라 할 수 있다.

만선은 1000톤이 돼야 한다. 보너스도 챙기고 또한 부인이나 가족들을 조업하는 가까운 섬으로 오게 하기도 한다.

6개월간 귀국 대신에 가족 상봉하게 하는 것이다.

참치와의 전쟁과 또 다른 나라 선박과의 경쟁으로 선장의 하루는 한눈팔 겨를이 없다 한다. 특히 네델란드와는 앙숙(?)사이로 한국에 대한 시기심이 대단히 높다고 한다. 평균 500톤을 잡지만 1000톤으로 만선일 경우 일단 귀국이 원칙이라 한다.

통가섬 참치가 "고기 반 바다 반"이다.

그래서인지 통가인들은 참치를 별로 안 좋아한단다.

참치를 먹을 때마다 고생하는 다국적 선원들의 "노고"를 기억하자. 한국 어선 "만선"하기를 염원해 본다.

말벌집 쑥대밭 만든 "벌매" 아시나요?

꿀벌 왕국의 독재자 말벌(땡삐)의 독침은 가히 살인 무기라 할 수 있다. 꿀벌에게 쏘여도 위험한데, 말벌은 핵미사일 같은 위험성이 있다고 본다.

어느 날, 말벌들과 꿀벌들의 전쟁이 벌어졌다.

수십 마리 말벌과 수 천마리 꿀벌이 맞짱 떴는데, 수 천 마리가 전멸하였다.

골리앗과 소년의 싸움같이 바이블에선 소년이 이겼지만, "벌의 전쟁"에선 말벌이 이긴 것이다.

말벌 왕국이 승리의 잔치할 때 "벌매"(벌을 좋아하는 새)가 잔칫상에 숟가락을 들고 앉았다.

근데 어찌 된 걸까?

말벌들이 독침을 쏘아대도 끄떡없는 벌매는 말벌들을 쪼아먹고 애벌레까지 후식으로 먹는 게 아닌가?

말벌 왕국은 한 마리 새에게 접수당해 거의 잡혀버리고, 여왕 말벌까지 벌매의 식사감이 돼 버린 것이다.

이건 실제상황이고 자연생태계에서도 충격적인 사건이었다.

맹금류 벌매는 말벌집까지 부수고 물어갔다고 한다.

벌집도 먹는 벌매일까? 지구촌이 깜짝 놀란 사건이었다.

세상에! 벌꿀 새는 알아도 "벌꿀 매"는 첨 들어본다.

말벌의 천적이 있다는 건 다행이란 생각도 든다.

자연의 무법자 깡패 도적놈 말벌도 인간의 보호를 받을 때가 된 것 같다.

동족을 잡아먹는 "문어족"

지난번 대왕문어 서식지인 강원 양양 낙산사, 부산 영도 태종대, 제주 서귀포앞 문섬과 섶섬에 사는 문어를 소개한 적 있었다.

오늘은 독도 대왕 문어의 야비함을 고발하려 한다.

두 개의 바위섬 서독도와 동독도에 한국전쟁 이전엔 강치들(물개들)이 살았는데 전쟁통에 일본인들이 다 잡아갔다는 일설이 있다. 사실일까?

울릉도의 쌍둥이섬에는 대나무숲이 없는데 일본은 자꾸만 "죽도"라 한다. 역사적으로 까막눈들이 자꾸 유식한 척 한다. "다께시마는 일본섬이야!"라고? 아마도 자기네 서해 바다에서 지진으로 가라앉은 대나무섬이 독도인줄 착각했나 보다.

스쿠버다이버에 의하면 수만 어종이 번식하는데 아열대 어종인 "파란 돔"과 괴물 대왕문어가 서식하고 있다고 한다.

그런데 문어는 동족을 잡아먹는 습성으로 "악성 문어"라고 부른다. 다른 어종은 새끼들이 부모의 보호를 받지만, 문어는 낳자마자 본능적으로 바위틈에 숨어서 자란다 한다. 대왕문어가 될 때까지 도망을 다니면서 자라는 문어의 순발력은 놀랍도록 민첩하다.

문어 왕국 독도를 일본이 노리고 있다. 해양 어종의 보물창고를 강탈할 때까지 일본은 "다케시마는 일본섬"이라 하고 우리는 "대마도는 한국섬"이라 말한다.

그 옛날 화니의 추억!

화니('시추' 라는 강아지 이름)는 2000년 5월 강원도 치악산 기슭 시골 마을에서 태어났다. 생후 3개월에 원주 시내 세무서 직원 집에 분양되어 살았는데, 주인 남자는 술만 취하면 어린 화니를 때려, 화니는 늘 냉장고 뒤에 숨어 지냈다 한다. 보다 못한 부인이 한의원장에게 하소연하여 그해 겨울에 나의 품에 안기게 되었다.

나는 화니를 싣고 여주에 사시는 어머니 댁으로 화니를 데려갔다. 화니의 기구한 운명이 시작된 것이다.

"옛날에 금산숲 동산에 화니
같이 앉아서 놀던 곳
물소리 새소리 들린다
내 사랑하는 화니야
금산 수풀은 우거지고
줄 장미는 피어 만발하였다
물소리 새소리 그쳤다
화니 내 사랑하는 화니야."

옛날의 금잔디 번안곡을 작가가 개사한 것이다.
그런데 11살 화니의 생애 중에 화니는 7번이나 옮겨 살아야 했다.
원주 여주 서울 속초 이천 부산 2번 총 7번 이삿짐을

싼 화니가 애처로웠다. 아빠는 한 명인데 양부모들이 거의 다 키웠으니 기구한 운명이 아닐 수 없었다. 아! 강아지도 이렇듯 기구하고도 파란만장한 운명에 처해지기도 하는구나. 화니가 간 지 11년차 되고 이미 집필이 완성되어 있다.

아마 4번째 출간 예정일 듯하다.

화니를 사랑했던 부산의 엄마 아빠 이모가 이 글을 본다면 아름다운 추억에 잠길 것이다.

작가의 야심 찬 집필의욕을 따라 야구로 치면 1번 타자는 "그냥 이야기", 2번 타자는 "설악산 하늘다람쥐", 3번 타자는 "폰지 연못에 돈 좀 던져줄래?" 4번 타자는 "그 옛날 화니의 추억", 5번 타자는 "1Km"(쓰나미이야기)가 완성돼 있다.

애완견 애완고양이 1천만 시대인만큼 4번 타자가 장외 홈런 칠 것 같은 예감이 든다.

작가는 부산으로 옮긴 지 이제 수년째 되는데 이곳에서 계속 집필하면서 나그넷길 보내려 한다.

"부산사람 됐다 아이가?"

제주 사냥개의 충성심 본받자

지구촌엔 수십여 종의 멧돼지가 살고 있다.

그런데 어찌 태평양 대서양 아프리카 유라시아 동남아시아 등 섬나라까지 멧돼지가 번식했을까?

일설에 의하면 18세기 "항해시대" 새끼돼지를 목적지에서 키워 식량 대신했다고 해 일리가 있다고 본다.

호주 돼지는 사납고 뉴질랜드 돼지는 순하다고 한다.

육대주에 분포된 산돼지의 생존에 대해 의문점이 많지만 지금도 미스터리로 남아 콜럼버스에게 물어보고 싶다.-진짜 돼지들 싣고 항해했는지?

제주도는 잦은 멧돼지 출몰로 개체 수 조절을 위해 제주견공을 풀어 사냥한다. 사냥견들이 멧돼지를 몰아붙이면 명포수가 쏘아 잡는다. 잡은 멧돼지는 유전자 검사를 위해 관계기관 연구소로 보낸다.

제주견의 충성심 복종심, 전투력은 진돗개 풍산개 동경이(경주견) 세퍼트 등을 능가한다. 주인의 컨디션까지 눈치채는 제주견은 멧돼지 사냥에는 세계 최고라 한다. 제주도의 명견 "제주견"은 주인 포수가 올 때까지 멧돼지의 혼을 빼놓는 기술이 상당하다. 멧돼지가 도망치지 못하게 여기저기 물게끔 마치 늑대 같은 훈련을 받는다고 한다.

멧돼지 사냥이 끝나면 인근에서 동네잔치가 벌어진다.

"설악산에서 제주도까지" 멧돼지 연구 보고서를 작성하려 한다. "제주 견공 연구서"와 함께…

오징어 바리

강원도 속초엔 "아바이마을 청호동"이 있다.

이곳 거주민 80%가 함경도에서 피난 내려온 북한사람들이고, 속초 원주민은 20% 수준이다. 이들이 구사하는 언어 역시 북한 말씨이다. 북한이 궁금한 사람들이 관광차 방문하는 청호동에는 한국전쟁이 발발하기 전엔 "정어리 공장"이 많았다. 일본이 정어리 기름을 군수용 기름으로 대체했기 때문이다.

옛 북한 땅 양양과 속초 이곳엔 숨은 비화가 무궁무지하다.

역사가들은 양양군 고성군 속초시를 신라 고구려 발해의 영토였다고 말한다. 설악산 신흥사와 양양 낙산사는 원래 신라 땅이었으나 나중에 고구려와 발해의 영토가 되었다.

구석기 신석기 청동기 철기 시대까지의 많은 유물이 출토되기도 한 양양 고성 속초는 고대 역사가 숨어있는 항구도시라 할 수 있다.

한국전쟁 말기 "8사단"이 설악산 미시령 고개 이승만 별장 김일성 별장을 수복하고, 금강산 탈환 직전에 스탈린 급사로 "휴전"이 성립되는 바람에 2021년 9월 오늘까지도 "휴전 상태"라 할 수 있다.

이 와중에 명태가 사라졌고 오징어도 점점 사라지고 있다.

"오징어 바리(오징어잡이)"도 기후변화로 인해 조업

횟수가 대폭 줄어듦으로 이까회(오징어회)는 그 맛이 더 특출해지고 있다. 대포항 동명항엔 방금 잡아온 자연산 활어와 오징어가 상위에 올라 "식감의 매력"을 느끼게 한다.

오징어회 다듬어 자녀를 대학 유학시킨 훌륭한 어머니들이 청호동에 살고 계신다.

70대 80대 90대 고개만 넘어서면 100세 장수권에 들어서게 된다.

동해안에 사시는 분들은 이런 사실을 "오징어의 힘"이라 말한다.

해방 이후 오징어채로 잡던 오징어를 뉴질랜드 근해에선 그물로 잡는데 보통 1~2m 거대한 괴물 오징어가 잡힌다고 한다. 한 마리로 50명이 먹는다는 "신화"가 사실로 드러나고 있다. '이까'(북한말) '수루메'(경상도말) '오직아'(조선시대 궁궐용어) 동해안의 맛 오징어가 남해안 서해안으로 이민(?)가는 중 아닐까?

표범장지뱀 모래의 왕자!

우리나라에는 고비사막처럼 넓다란 모래 지형이 별로 없다.

바닷가는 있지만, 강가나 산기슭엔 거의 찾아볼 수 없다.

인도네시아 수마트라섬의 왕도마뱀은 물소도 잡아먹는 "식인 도마뱀"이고 사람도 공격한다.

우리나라 서해안 바다와 맞닿는 산기슭 모래사장에 등가죽이 표범 닮아 "표범장지뱀"(작은 도마뱀)이라 불리는 도마뱀이 곤충계에서 왕 노릇을 하고 있다. 오줌싸개 거미 메뚜기 등 각종 곤충을 잡아먹고 산다.

우리나라 산속에는 모래가 별로 없는데도 사하라 사막에 사는 곤충은 다 있다고 한다.

표범장지뱀은 사마귀와도 싸워 먹잇감 삼고, 아주 작은 개구리도 먹고 심지어 개미 곤충도 유인해 잡아먹는다.

천적이 있는데 조류들이다.

먹이를 잡으면 잽싸게 먹어 치우고 숲속이나 모래속에 숨는다.

먹이사슬의 자연 생태계는 자주 낳고 많이 낳는다.

일종의 종족보존 법이라 할 수 있다.

그런데 표범장지뱀은 희귀 멸종 위기에 처해있다고 하니, 도마뱀은 함부로 잡으면 안 되겠다. 혹시 "표범장지뱀" 일지도 모르기 때문이다.

주둥이새(물총새)를 아시나요?

우리나라의 모든 "명칭"은 고려 때 만들어졌다고 한다.
충렬왕 전후 중국까지 호령하던 때였다고 본다.
고조선(단군왕검이 세운 나라)에서 부여 고구려 백제 신라 발해 고려 조선에 이르기까지 한문 글을 사용했지만, 말은 지금 우리가 사용하는 말을 사용했다.
말은 있지만, 글이 없이 이웃나라 글(한자)을 사용한지 어언 수천 년이 흐른 시점에서 세종은 고유 글자의 필요성을 깨닫고 한글을 만들려고 하자 집현전 학사들(오늘날 친중파)이 죽어라고 "반대"했다.
그래서 퇴청(퇴근)후 세종의 가족이 모두 동원되어 만들어낸 작품이 바로 "훈민정음"이다.
그런데 조류들도 말을 할까?
"한다"고 조류학자들이 말한다.
스페인 등 외국에서 연구한 귀중한 자료이기도 하다.
논문에는 "철새들"이 스페인 등 수만 리에서 한국 등 여러 나라로 날아올 수 있냐는 것이다.
수종의 철새들이 한국을 찾아올 때 맨 앞의 대장들과 옆의 연락병들이 서로 대화하듯, "비행"하는 철새들 속에 가장 크게 소리 내는 새를 조류학에선 "주둥이새"라 부른다 하는데 기러기 울음소리가 기러기를 통솔하는 신호라 하고, 이 소리를 내는 새를 "주둥이새"라고 한다. 조용한 밤 청둥오리 떼가 날면서 울어대는 녀석이 바로 "주둥이새"가 아닐까?

설악산 울산바위가 궁금하네요

태고적 산이 솟고 바다가 갈라지고 지구가 태동할 때 솟아오른 "울산바위"엔 재미있는 "전설"이 있다.
강원도 양양 고성 속초인들도 모르는 "신화"를 공개하려 한다.
고조선 중기 단군왕검이 나라 세운 지 1000년이 지났을 때, 백두산 화산이 폭발했고, 그 후 고구려 멸망 후 개국한 발해가 916년경 급작스레 멸망했다.
장백산(백두산)이 화산 폭발한 것이다.
1000년 주기라면 지금이 그때가 아닌가?
발해가 멸망한 지 1000년이 다 되어가고 있다. 화산 조짐도 보이고 있다. 과연 어떻게 될 건가?
백두대간에서 유일한 "바위산"인 울타리 산의 전설이 아직 알려지지 않고 있다.
신라의 마지막 왕자 "마의태자"가 신흥사를 찾아와 고승과 미팅(?)할 때 적군을 피할 수 있는 2곳 중 한 곳을 선택하라는 종용을 받았다 한다. 지금의 "권금성이냐?" 계조암의 "울산바위냐?"
마의태자는 "권금성"을 택했다.
하지만 오늘날 전설은 칭기즈 칸 몽골군의 침략 시 "권씨와 김씨"가 피난했다고 하는데, 프로 산악인도 오르기 힘들 정도로 험준한 곳 아닌가? 나바론 요새같이 깎아 지른 바위산에 오래전 여우들이 살았다 한다. 이들의 주식은 주로 "산쥐"였고 능구렁이 황구렁이도 이들의 별식이었다.

누가 지은 전설인지는 몰라도 "여우들의 집단생활이 울보산(바람소리)에서 천년을 이어왔다고 한다.

울산바위에는 수많은 구멍이 있어 이것을 여우 집이라 한다.

픽션일까? 논픽션일까?

계조암 스님들은 구멍이 많은 건 사실이나 여우가 살았다는 얘기는 첨 듣는다고 한다.

작가의 추론으론 바람소리를 "여우 울음소리"로 착각한 건 아닌지 반문해 본다. 지금도 봄철이 되면 바람소리가 영랑호까지 들리는데 진짜 여우 울음소리같이 들린다.

서양 여우와 한국 여우는 그냥 여우일 뿐인데, 동양 여우는 샤머니즘에 빠져있는 듯하다. 사실 설악산에서 여우를 목격한 경우는 거의 없다고 한다. 그렇다면 고조선 고구려 신라 발해로 전해진 "여우 전설"을 지워야 할까? 임튼 그냥 이야기에선 계속 여우 얘기를 다룰 것이다. 재미있게...

왕피천에는 수달 외 18종 고기가 산다고?

경북 동해안 울진 근처에 "왕피천"이 흐르고 있다.

이름 그대로 왕이 피난 왔다 하여 오늘날 왕피천이라 부른다.

옛날 고려 공민왕이 정적을 피해 이곳 계곡에 숨었다.

깎아지른 골짜기에서 흘러내리는 깊은 골 물속에는 바닷고기 황어 메기 꺽지 등 십수 종의 물고기와 수달이 살고있는 "1급수 하천"이다.

이곳에 사는 주인 수달과 외부 짐승 너구리는 산란하고 죽는 황어를 먹고 산다고 한다.

바다에서 거슬러 강으로 올라오는 황어가 살아있을 때는 수달 밥이고, 죽으면 너구리 밥이 되니 자연생태계 질서 "먹이사슬"인 것 같다.

동해안의 계곡천(삼척 오십천, 울진 왕피천, 강릉 남대천, 양양 남대천, 강릉 연곡천)은 연어 황어 등이 물살을 타고 산란하러 올라오는 계곡 하천이다.

연어는 캄차카반도가 주 무대이고, 황어는 동해안 일대에서 서식하고 있다.

맑고 수심이 깊어 18종 물고기가 서식하며, 수달과 너구리 등의 먹잇감이 되어도 그 개체 수는 줄어들지 않고 있다.

노국 공주와 사랑에 빠진 공민왕의 "실정"에 이성계는 조선을 건국하게 되고 500년 고려는 막을 내렸지만 "왕피천"은 오늘도 힘차게 흐르고 있다.

1급수 하천이 늘어나고 있다

환경기자 시절에 도별로 "강 하천 계곡천 실개천 등" 심지어 관수로 호수 연못 웅덩이 물까지 측정 의뢰한 적이 있었다.

약수터는 관할 지자체에서 정기검사하지만, 공업용수는 수시로 환경기자들이 감독(?)했다. 김대중 정권에선 의약 전문으로, 노무현 정권과 이명박 정권 상반기까지는 환경 전문으로, 그 하반기부터 법률전문기자 되어 현재까지 "언론봉사"하고 있다.

태어나서 모든 분야에서 공부만 하는 기자직에 보람을 느낀다.

박사 학위 불필요하다.

언론 생활 22년에 수많은 전문직에서 배운 지식이 오늘날 작가를 "다큐 작가"로 만든 지도 모른다.

본 기자도 지난 1년간 "타이뉴스 원앙이 소리 비탈길"을 하루도 빠짐없이 연재해 보고 깜짝 놀랐다.

"드디어 작가의 꿈이 이뤄졌구나!"

미지의 독자들에게 선보일 "그냥 이야기" 책과 신문자료 등을 작가 협회에 보내야 "등재"가 된다.

향후 지구촌 환경도 많이 다룰 것이다.

우선 "1급수 3총사 원앙이 물총새 수달"을 취재해 본다.

경북 울진의 "왕피천"에 사는 "수달", 서울 강북구 도봉구의 "우이천 원앙새", 경남 양산 지천의 "물총새"

등등 한국엔 "1급수"가 많아졌다고 본다.
삼천리가 금수강산이 아니라, 우리의 옛 땅 (고조선 고구려 발해)을 되찾으면 "오천리 금수강산"이 된다. 그런 날이 곧 오리라 본다.
그래야 "연해주"도 우리 땅이 되기 때문이다.
환경도 지키고 옛 땅도 되찾는 그 날이 점점 가까워지고 있지 않은가? 지구촌 곳곳에 분포되어 사는 "소수민족들의 소식"도 부지런히 보도해야겠다. 환경 문제도...

오징어 간증

문어과 낙지 주꾸미 한치 문어 오징어는 지구촌 남태평양 러시아 동편 한반도 동편 일본 서편 뉴질랜드 전역 호주 동편에서 서식하는 갑각류 생선이다.

4국 시대(고구려 백제 신라 가야)엔 문어와 오징어를 불경스럽다 하여 그물에 걸리면 도로 바다에 던졌다는 야사도 전해진다.

오징어 박사가 속초와 울릉도에 수두룩하다. 작가도 자칭 박사급(?)에 속한다.

어릴 때 속초 각 가정은 거의 오징어를 건조하여 가계를 꾸렸다.

생오징어 배를 갈라 속의 내장을 버리고, 깨끗히 씻어 4~5일간 건조한 뒤 1축(20마리)씩 묶어 상회에 내다 판다. 그런데 만약 비가 오면 오징어는 벌게지며 썩는 게 특징이다. 냄새가 진동하여 대부분 거름 용으로 버리게 된다. 비 오는 날엔 아무나 젖은 오징어를 가져가도 괜찮다는 무언의 법규(?)가 있었다.

그래서 비 맞은 오징어를 연탄불에 구워 먹던 기억이 생생하다.

속초의 선주 윤상철, 비 맞은 오징어 서리해 봤지? 김천수도... 지금도 비 오면 오징어 구워서 고추장에 찍어 먹던 추억이 되살아난다.

생물체의 지혜 "뭉쳐 다니자."이다.

갈매기 꽁치 정어리 연어 참치 황어 양미리 명태 대게

홍게 돌고래 멸치 심지어 송사리도 떼를 지어 다닌다.

그런데 지금까지 오징어 모양에 대해 잘못 인식하고 있다.

오징어 머리?

꼬리다.

오징어 다리?

손이다.

10개 손 중 긴 손 2개는 우리 엄지손으로 힘이 강력해 먹잇감을 입으로 당기는 역할을 하고, 눈도 손에 달린 것이다.

시속 100km 오징어 꼬리는 방향타 역할을 하며, 수심 깊은 곳에서 이동하며 살고 있다.

뉴질랜드엔 거대한 오징어가 관찰되는데 길이가 10m 이상이나 된다고 한다. 속초 아바이순대는 최고 영양가와 맛을 자랑하고 있다.

"오징어떼야!! 제발 동해안으로 돌아오라!!!"

어민들이 기다린단다.

아직도 북한산이라 부르나요?

일제강점기 조선총독부는 고려시대와 조선시대에서 불렀던 "삼각산"을 삭제하고 "북한산"이라 불렀다.

그 당시 "남한산성"이란 명칭이 있었는데 "성"을 빼고 자기네 마음대로 남한산 반대어 북한산으로 결정한 것이다.

조선총독부의 만행은 한국역사 왜곡 뿐 아니라 산이름까지 바꾸고 언어와 문화도 바꾸려 했었다. 배달민족 홍익인간 정신도 말살하기 위하여 삼각산에 쇠말뚝 박은 식민사관은 그 죗값으로 각종 지진 해저지진 등으로 국토 절반 이상이 가라앉는다고 예언하고 있다.

우리는 청나라와의 전쟁에서 패해 북쪽으로 귀양(?)가야 했던 대신들 중에 이런 시를 남겨 이 산이 역사적으로 "삼각산" 임을 알게 되었다.

"잘 있거라 삼각산아 다시 보자 한강수야!" 분명히 북한산이 아닌 삼각산이 맞는데 식민사학들은 죽어라고 북한산이라 지금도 주장하고 있지 않은가? 정신차려라!! 식민사관 후예들아!!! 역사 인식이 부족한 자들은 더 공부하길 바란다. 백운대 만경대 인수봉이 우뚝 서 있는 "삼각산"(우이동)은 과거 김신조 무장공비들이 넘어온 험준한 골짜기 아닌가? 오죽 산세가 험했으면 미운 오리털 연산군과 정의공주 부부를 이곳에 묻었겠나? 조선시대 한국전쟁 때는 서울 우이동이 경기도 양주골이었다.

나무가 그늘이 되려면 얼마나?

산야나 공원 부지에 나무를 심고 나서 바람이 세차게 불거나 비바람이 거칠어지면 어린나무가 쓰러지지 않게 묶어주곤 한다.

인간의 성인식이 20세라면 나무의 성인식은 몇 살일까? 나무 박사들은 약 3~40년이라 한다. 이때가 인간들에게 "그늘"을 만들 만큼 성장한 걸로 본다. 푸른 산야 가로수 시냇가숲 개울의 수림 등이 마을과 산야를 지켜주는 것이다.

누군가 "못난 나무"가 숲을 지킨다고 했다. 산사태는 무섭다. 과거 속초 노학동 산사태로 희생자 몇 명과 함께 교동 전체가 물에 잠겼던 일이 생각난다. 나무뿌리의 뚝심(칡넝쿨)이 산사태를 막을 수 있는데 벌거숭이 산에는 매년 산사태가 발생한다고 보면 된다.

개울가에 심은 나무가 작은 홍수를 막듯 30년 된 나무는 그늘도 만들어 주지만 홍수나 산사태를 막으면서 산을 보호할 수 있는 나이이다. 사랑하는 "애완동물"과는 10~15년이면 이별하지만 "30년 지기 나무"와는 평생을 함께할 수 있어 얼마나 다행인지 모른다. 나무같은 짝이 되는 "인연"이 바로 "원앙이 인연" 아닐까? 우리 모두 산을 지키는 "푸른 나무" 되자.

박빛나, <한 그루 나무 심기>

황소개구리의 최대 천적

어느 공무원이 아이디어 내어 1990년대 남미에서 수입한 거대한 식용 개구리가 있는데 울음소리가 황소 같다고 해서 "황소개구리"란 이름이 붙여졌다.

이놈들이 얼마나 식성이 좋은지 동족 개구리 물뱀(맹독성) 민물고기 등 닥치는 대로 잡아먹어 자연 생태계를 교란시켜 한때 포획 작전으로 정부에서 마리당 가격을 정해 포상금을 주기도 했다. 어떤 포수는 릴낚시에 미끼를 달아 채 올리기도 했다.

황소개구리 출현 20여년!

묘하게도 개구리 튀김집이 거의 사라졌다. 포장마차의 닭똥집과 닭발은 건재한데 개구리탕 집(?)은 거의 안 보인다. 전국 늪지대 강가 하천 등 물이 고여 있는 곳이면 황소개구리들이 서식하는데 2021년도에 기이한 현상이 발견되었다.

물속의 조오련(유명 수영선수)이란 별명을 가진 "물방개 물장군" 이 곤충들이 황소개구리 최대 천적 될 줄 누가 알았을까? 최근 곤충학계에서 밝힌 먹이사슬 황소개구리 뒷다리(허벅지)를 물어 모든 진액을 쪽쪽 빨아먹는 "톱니바퀴입 물장군"이 황소개구리를 사냥하는 영상이 공개되면서 황소개구리가 물에서 "뭍"에 사는 양서류가 될 것 같다. 물장군은 물속의 제왕이지 물밖에서는 하나의 곤충에 불과하다.

일반개구리(청개구리 맹꽁이 수원개구리 등)는 물밖

생활이 많아, 물장군 만나는 기회가 적지만 황소개구리는 몸무게로 인해 주로 물속에 있다 보니 물장군의 먹잇감 되어 서서히 개체수가 줄어들고 있어 다행이다. 간혹 바짝 마른 개구리는 물장군에게 진액을 빨린 개구리로 보면 된다. 그리고 "물장군"이 황소개구리 허벅지를 물어 개구리의 진액을 빨아 먹으면서 변 보는 아주 특이한 행동을 하여 "먹고 싸는 수곤충"이라 한다.

황소개구리 서식처에 방류하는 "물방개"로 인해 과연 자연생태계를 회복할 수 있을까?

원앙이는 숲속의 조류였다

원앙이는 야생오리처럼 숲속에서 알을 부화하여, 그 새끼를 일정 교육한 뒤에, 서울 강북구 "우이천"으로 날아온다. 수년간 관찰한 사진작가에 의하면, 그들은 새벽마다 어김없이 "삼각산" 숲속에서 떼거지(수십마리)로 날아와 조반을 먹는다고 한다.

간혹 아들이 찍어 보내오면 글로 표현하는 다큐 작가의 의문이 풀린다.

우이천에서 훈련받는 야생오리와 원앙새 무리가 낮에는 자기네 숲속으로 날아간다.

주로 나무 위에서 생활하다가 우이천 "수림 속 먹이"를 두루미 왜가리 야생오리 청둥오리 등과 먹이를 공유한다고 본다.

우이천은 도봉구 강북구 성북구 동대문구 중랑구를 통해 한강으로 흘러 들어간다.

우이천에 보이는 잉어들은 우이동 도선사에서 방류하는 잉어들인데 조류들의 식사감으로 붕어 미꾸리 등도 방생한다고 한다.

2003년도만 해도 우이 개울은 쓰레기 하치장으로 참새 비둘기만 놀러왔던 3급수 개울에 불과했는데, 각 구청이 청계천같이 조성하여 오늘날엔 "제2의 청계천"으로 불리고 있다.

역시 "언론의 힘"은 무서웠다.

각종 하수관 통해 흘러내린 "우이개울"을 덕성여대 (도봉구)가 노력해 우이천의 "환경개선"에 동력이 되었다고 본다.

어느 환경기자와 도봉구의회 의원이 흘린 땀이 도랑 같았던 우이 개울을 일약 "제2의 청계천"으로 변모시킨 것으로 생각된다.

원앙새의 서식지는 삼각산 도봉산 수락산 아차산 등이 틀림없을 것 같다. 간혹 우이천을 행차(?)하는 귀한 그 새의 본거지는 아직 밝혀지지 않고 있다.

미스터리 원앙이 서식지 연구 보고서가 나오길 간절히 바란다.

사슴고기 맛 보셨나요?

뉴질랜드와 호주를 구분하라면 야생동물의 유무이다.
호주는 식인악어 독사 등이 서식하고 뉴질랜드는 돼지(?)가 야생이라 한다. 근데 야생사슴을 놓고 야생이다 아니라 하는 뉴질랜드에 대해 한인 사회에서 "사슴은 가축일 뿐 방목한다고 야생은 아니다"라고 했다 한다.
남극과 맞닿아있는 뉴질랜드 남섬 펭귄의 보금자리 온천과 빙하섬이 공존하여 관광객의 최고 방문지로 각광을 받고 있다.
암사슴 사냥은 개체 수에 따라 행하고 수사슴은 대체로 고기용으로 분류된다.
오래전 여의도에서 소 육회와 사슴 육회 시식회 때 취재하다가 사슴요리에 흠뻑 빠진 적이 있었다. 근데 왜 전문집이 안 보일까?
북극지역 "사미족"(우리 민족과 흡사: 결혼식 장례식 전통문화가 같고 우리말과 비슷하다.)이 사육하는 순록을 비롯해 사슴 노루 고라니 등은 "사슴과"로 육질 녹용 녹각은 인간에게 "최고 보약"이라고 동의보감 허준선생이 강조하지 않았나?
그래서 궁궐에서도 "사슴 사육"하는 직위가 말몰이꾼과 똑같았다고 한다. 물론 임금의 수라상에도 올랐고 탕제에도 1등급이었다.
야생 순록 방생 순록도 거주민들의 재산(?)이라 한다.
우리는 목장(소 말 양 염소 등) 양돈(돼지) 양계(닭

오리 꿩 등)는 집단사육이 가능하지만, 산양 노루 고라니 산닭 야생멧돼지는 사육이 불가하지 않는가?
하지만 육질만큼은 "맛의 제왕"이라고 세프들(최고요리)이 극찬하고 이토록 극찬하는 "사슴고기" 인류사에서도 소 돼지 닭 개와 함께 자주 등장한다.
인간과 가장 가까운 개, 인간을 멀리하는 사슴.
어쨌든 맛의 제왕은 "사슴"이 아닐까 싶다.

기후 변화, 남의 일 아니다

지구촌이 생성된 이래 처음으로 "강 쓰나미 현상"이 발생하여 전 세계를 커다란 충격에 빠지게 했다. 바다 쓰나미는 들어봤어도 강 쓰나미는 처음 본다며 네팔 지진학계가 탄식했다. 사철 눈 덮인 히말라야 정상에 어떤 변화가 왔길래 강 쓰나미가 발생하게 된 걸까?

세계지진학계가 급파되어 진상 조사한 결과, "이상 기후 변화"로 인한 지진 발생 쓰나미로 판명됐다고 한다.

얼음물 마시던 네팔 부탄 등이 큰 충격 받아 지금까지도 아무런 대책을 못 세우고 있다.

육상지진 해상지진 산악지진 강 지진 등 지구 기후 변화의 주범국들이 지금 대책을 세우는 가운데 네팔 "강 쓰나미"가 발생해 지구촌 핫 이슈가 된 것이다. 긴급대피하여 피해는 줄었지만 2차 3차가 문제로 남아 있다. 석탄 경유 휘발유 각종 공장 탄소 대기 가스 황사 등의 사용량 급증으로 기후가 변화되면서 "강 쓰나미"가 발생하게 된 것으로 보인다.

비슷한 시기에 우리나라에선 섬진강 대홍수로 소가 떠내려가는 등 전라도가 극심한 피해를 입었다. 4대강 건설 때 섬진강을 포함하려고 했을 때 어느 지역에서 결사반대했나? 자업자득 아닐까? 우리나라 상습 지진 지역인 포항 경주 충남지역 등의 강에 대한 대책을 세워야 하지 않을까? 국무위원들과 지자체들 능동적으로 소신껏 행정하기를 국민은 바라고 있다.

상어의 코가 궁금하네요

어떤 학자가 농담했다.
만약에 고구려 발해의 영토가 국경이 됐다면 지금 우리 땅이 세계 12위권에 있을 것이다. 또 우리가 경제대국으로 12위 아닌가? 그래서인지 12라는 숫자가 낯설지 않다.
12냥 인생이란 노래가 있다. "하루에 품삯이 12냥 인생 우리 님 오시면 20냥이라 에헤야 디헤야~~" 조선시대 태평가라고 한다.
바닷가에 사는 어부의 하루 일당이 12냥(12만원)이면 아주 높은 금액이다. 그래서 "12냥 인생"이란 노래가 전해지고 있다. 목포 항구에서 홍어 철이 되면 어부 구하기 힘들어 엽전 10냥에서 12냥 주어야 몸집 큰 어부를 구할 수 있었다고 한다.
전문 어부들은 배 안에서 고기를 썰지 않는다고 한다. 생선 피는 양동이에 담아 항구에 와서 버린다고 한다. 이유는 상어가 피 냄새 맡고 온다는 것이다. 남태평양에서 서해안까지 피 냄새 맡고 전류도 감지한다는 놀라운 이슈가 지구촌에 퍼지고 있다.
특히 제주에선 젊은 해녀가 달거리(생리)할 때는 바다 출입을 금했다고 하는데 그건 상어 때문이란다.
바다의 난폭자 상어 코를 과학적으로 정밀 분석한 결과 100만분의 1로 희석한 피도 상어는 냄새 맡는다는 연구 결과가 나왔다.

간혹 서해안에 출몰하는 상어가 있다고 하니 해수욕장에선 코피를 흘리면 안 될 것 같다.
수백 킬로 밖 상어가 달려올지 모르니까 말이다.
전국 항구마다 생선 피 등을 음식쓰레기로 구분하고 절대로 바다에 버리지 못하게 하는 것도 혹 상어가 달려올까 봐서다.

민둥산에 식목하면 "탄소 중립복원"

유한킴벌리가 한해 식목하는 숫자가 얼마인지 아는가?

매년 민둥산만 찾아 수만 그루 나무를 심고 있다.

백 년을 내다보며, 후손을 위한 기업으로 국민의 존경을 받고 있다.

탄소중립은 "탄소중단"이란 뜻은 이산화탄소를 줄이자는 것이다.

나무와 숲은 탄소작용을 한다. 바깥의 공기독소를 식목이 빨아들여 "중립"으로 만든다 하여 "탄소 중립"이라 한다

석탄산업 줄이고 화력발전소 공해공장 이산화탄소 뿜어내는 경유 휘발유 차량들을 전기차 수소차로 바꾸는 나라들이 속출하는 가운데 중국은 아직 19세기형 공장이 수두룩하다. 개발도상국에서 못 벗어 났다고 본다. 그나마 자유 물질을 선호하고 세계 경제에 발맞춰 'G2'에 턱걸이했지만, 향후 그 자리는 다른 나라에 내줄 듯하다.

또 민둥산에 식목해야 하는데, 검정 연기 굴뚝만 보이는 중국 우리나라 1980년대를 보는 것 같다. 탄소중립에 책임질 나라들은 "모르쇠"하는 가운데 제26차 유엔기후변화협약이 영국 글래스고에서 열렸다. 각국 정상들이 민둥산 대책을 세우라고 몇몇 국가에 경고했다고 한다.

우리의 경우는 북한이 식목한다면 남북한이 2배로 탄소 중립이 될 수 있다는 지적도 나왔다 한다.

나무심기. 돈 주면 안 되고, 식목을 받겠다면 얼마든지 지원 가능하다고 본다.

지구촌의 황폐한 땅에 많이 식목하여 대기 중 이산화탄소를 줄여 "탄소 중립" 한국이 되길 바란다.

우린 어쩌란 말이냐?

유엔기후변화 협약이 영국 글래스고에서 세계정상들이 모여 머리를 맞댔다. 미국과 영국이 "지구촌 망하기 1분 전이다 굴뚝공장 때문에" 하자 중국과 인도가 발끈하고 나섰다.

"우린 개발도상국이라 굴뚝을 치울 수는 없다"며 고함질렀다.

지구촌 기후변화 대책이 26차례나 계속됐지만, 그때마다 제자리걸음 아닌가?

지구는 70%가 바다이고 30%가 육지인데 벌거숭이산과 도상국 공장이 절반을 차지해 매년 "탄소중립"은 다람쥐 헛바퀴 도는 것이다. 소귀에 불경 읽기 아닌가?

중국 자기네가 G2라고 으쓱대다가 기후변화협약에선 개발도상국이라고 자인한다.

지구촌 민둥산이 많은데 국가별로 "산림장려" 하고 이산화탄소 배출을 줄이면 되는데 예산을 아끼나 보다.

한국의 새마을운동처럼 수목 장려하면 되는데 아마도 우리 인재를 수입하는 국가가 생길지도 모르겠다.

나무를 벌목하면 다시 식목해야 하는데 그냥 방치해, 민둥산 만드는 국가 있어 문제가 되고 있다.

또 낙농 국가에 대해서는 농축산 메탄가스 줄여라. 목축업자는 반발하며 "축산업 하지 말란 말이냐?"

덴마크와 네델란드 몽골 등이 반발하고 나서 회의가

잠시 중단되기도 했다고 한다.

대한민국은 대체로 이행하겠다 했지만, 중국은 막무가내 석탄사용을 줄일수 없다고 반발해 빈축을 사기도 했다

"탄소 중립" 시간을 주어도 그때뿐 기금(벌금)제도를 강화하는 수밖엔 별수 없는 듯하다.

아무튼 지구촌의 "기후대책" 세우지 않으면, 빙하의 습격으로 엄청난 재난이 예고될 것 같다. 이젠 각 나라에 "시간"을 더 줄 수 없다고 본다. 히말라야가 위험하다!

Part 4

코로나 19 매일 묵상

사회 이야기

박빛나, <세월의 별>

세월호 비극은 지구촌이 알아!

일본이 "다케시마는 일본 섬이야."라고 주장한다.
"우리는 독도는 알아도 다케시마는 몰라, 왜족아!!"
그들은 우리 보고 "조센족"이라 부른다.
작가는 열 받으면 안 된다.
하지만 세월호가 일본에서 건조한 선박이기에 분통이 터지는 것이다.
선박 수명 20년인데, 이를 10년 더 연장해 헐값에 사들인 청해진 해운.
선박 수명 연장 로비한 선주나, 로비를 당한 당시 한나라당 5인조(해외여행 중)는 책임 추궁을 받아도 마땅하다.
퇴장 선박 2년을 남기고 한국에 온 노파 같은 선박이 새색시로 단장했지만, 끝내 300여 명의 목숨을 앗아갔다.
그런데 한국 교과서에 "음모론"이라고 분명히 인쇄되어 있다.
구조할 수 있었던 골든타임 120분이 있었는데도 '18급'들은 제대로 구조도 못 한 채 학생들과 승객들을 하늘나라로 보낸 "인재 참사" 아닌가?
당시 전체 언론기사를 스크랩하면서 "현미경 분석"을 하다가 "아, 이 사건은 18급들의 합창이구나!"를 알게 됐다.
그때 주역들이 현재 최고 무기징역, 10년형 받고 복역 중이다.

해운 회사의 과욕이 부른 "대참사"를 교과서에서는 '음모론'이라 한다.

아침 8시 50분 전남 진도군 맹골도 "급회전 금지" 지역에서 세월호가 일순간에 드러누웠네.
과적하지 않았다면 유속이 빠르다 해도 침몰하진 않는다. 선박의 키(조타장치)를 조정하는, 키의 레프트와 라이트를 혼돈해 버린 조타수와 3등 항해사의 실수로 세월호가 드러누운 사건이라 할 수 있다.
'해경 123정 '의 구조 해경들이 선실 속 승객을 강제로라도 구출하지 못해 그들은 처벌을 받았다.
5분 대기조는 5분 안에 완전무장하여 상황을 종결한다는 특공대 사명이다.
5분 10분 30분 안에 선실 속 학생들을 꺼낼 수 있었더라면 지금쯤 그 학생들은 사회인이 되었을 것이다.
누가 이 아까운 인재들에게 "가만히 있으라!"고 방송 틀었나?
그래서 교과서에 "세월호 음모론"이 7년이 지난 지금까지 대두되는 것이다.
"이준석 임시 선장, 당신 정체가 뭐냐? 300여 명의 책임이 고작 무기징역이라니?"
1997년 IMF를 몰고 온 김00 대통령 때 사형제도가 중단됐다.
외국의 사례를 보면, 대형사고를 일으킨 이탈리아 선장은 상징적이지만 검사 구형 "1000년"을 받았다. 최고형 아닐까?
요즈음 무분별한 "법 원칙 무시" 하는 법조인이 늘어

나고 있어 사회적 문제가 되고 있지 않은가?
국정은 행정수반이, 법률은 법조인이, 입법은 국회의원이, 책임지고 임무를 제대로 수행하면 "아수라들"이 사라질 것이다.
법률 기자는 법조인의 "비리 구형"에는 일반인 범죄 구형보다 2배로 더 센 구형을 하길 바란다.
외국 사례를 보면 국회의원은 봉사직이라면서 자전거로 출퇴근하고 유권자와 막걸리를 함께 마신다고 한다. 돈독 오른 한국 언론인은 없을까? 그들도 독일처럼 최고형에 처하자!
세월호 침몰에 대한 판결이 "무기징역"인 것을 당사자들은 고맙게 생각하라.
낙엽이 돈으로 보이는 인간들은 1997년 당시 대통령을 고맙게 생각하라. "사형제도 중단"에 대하여...
세월호 사건은 승무원 실책, 사주의 과욕, 행정 수반의 과실이라 생각한다.
인생은 개인과 국가의 역사 아닌가?
"추모는 아름다운 예의"이니 후대에 영원히 연구해 갈 것이다.
이제 역사에 맡기고 "동이족 배달민족"임을 잊지 말고 세계 'G2'를 향해 힘차게 달려가면 좋겠다.

그대가 많이 벌면 뭐하냐 내가 많이 벌어야 타인을 위해 기부를 하지!

세상살이 타향살이 고달프다고 하면 "성남시"에 가 보라 한다.

특히 몇몇 법조인이 "낙엽 돈"을 빗자루로 쓸어 담고 있어 동네 강아지들이 돈 물고 다니냐고 농담을 했다. 그 옛날 탄광 지역엔 실제로 어린아이(4~5살배기)가 양쪽 주머니에 지폐를 접어 딱지치기했다는 얘기를 황지(태백)에서 교편 생활할 때 들었다.

황지, 철암, 고한, 사북, 예미와 석항은 탄광 지역으로 1960년~70년초 돈이 '개락'(강원도 사투리로 아주 많다는 뜻)이었다고 한다. 이때 강아지 입에 돈이 있었다는 소문이 전국으로 퍼져나간 것이다.

1970년대는 한국 전쟁 끝난 지 20여 년, "한강의 기적"을 만들어낼 정도로 100m 달리기처럼 죽자 살자 뛰었던 시기였다.

1980년대, 1990년대, 2000년대 대한민국을 빛낸 전직 대통령들 노고에 대하여 편 가르지 말고 모두 'A+' 주면 어떨까?

학계 문학계 인문학계에선 "파벌 갈등"이 없어야 하는데 일부 언론계가 파행하고 있어 논설위원 논평가 칼럼리스트가 "사명감"을 갖고 글을 쓰면 좋겠다.

"그냥 이야기"는 정치성 없는 게 장점이다. 단, 세계의 독재 국가들을 향해서는 "칭찬하지 않는 것"이 특징이다.

지구촌 220개 국가의 논평이나 역사가 거론되지만, "아기자기한 이야기"를 많이 쓸 예정이다

핸드폰의 '카톡' 글로 독자 확보가 어렵다는 충고를 무시하고 눈비 오나 벼락이 쳐도 하루도 빠짐없어 글을 연재하고 있다.

그러다 보니 벌써 1년하고도 3개월째 된다.

그동안 100여 명이 "나가기" 했지만, 책이 출간되면 회귀성 황어(잉어과에 속하는 하천과 바다를 오가는 회유성 어류)처럼 떼를 지어 돌아올 것이다.

황어를 연구하는 역사학도는 오늘도 지구본을 돌리며 민족연구를 하고 있다.

인생은 돈과 연결됐다고 한다. 하지만 돈 벌면 기부는 게눈 감추듯 한다. 그래서 네가 많이 벌면 뭐해? 내가 벌어야 베풀지? 그런데 이런 돈을 훔치는 인간들, 훔치기 낚시하나? 있을 때 잘해 알간? 망태에 돈 쓸어 담은 인간들아!

위험한 동거에서 탈출!

경기도 연천군 금문교는 높이 86m 길이 600m 되는 한탄강 다리이다.

한탄강은 철원에서 흘러 임진강으로 합류해 서해로 빠져나가는 한 많은 강이다.

이 다리 양쪽 난간에는 황조롱이와 원앙이 부부가 약 500m 거리를 두고 동거하는데 각기 새끼를 키우며 자주 싸운다.

황조롱이는 맹금류이고 원앙이는 야생 오리과다. 원앙이는 보통 5월이면 새끼를 낳는데, 황조롱이는 호시탐탐 원앙이 새끼를 노린다. 이웃사촌이지만 항상 긴장감이 감돌아 원앙이 부부는 교대로 새끼들을 지킨다. 황조롱이가 5마리이고, 원앙이 새끼가 4마리이면 간혹 어미들이 피 터지게 싸울 때도 있다.

잘못된 동거로 남북처럼 서로 으르렁거리며 지내지만, 새끼들이 성장할 때까지 묵시적 휴전을 하는지 원앙이는 강 아래로 향하고, 황조롱이는 막내를 잃고 각자 둥지를 떠나면서 "다시는 동거하지 말자" 하고는 약속이라도 한 듯 모두 산속으로 보금자리 찾아 떠난다. 그것으로 끝이다.

맹금류와 야생의 대결 역시 야생의 모성애는 강했다. 갑자기 서울 우이천 원앙이들이 생각난다.

누가 사형제도를 폐지했나?

조선 시대 양형제도(형량)은 무서웠다.

상류층에선 귀양 후 "마시고 죽어라는 형벌" 등등 백성 범죄자는 "곤장 제도" 등등의 "사형제도"가 있었다.

우리나라는 1997년 이후(김영삼 정권) 사형제도가 근절돼 범죄자들의 범행이 날로 심화된 것으로 본다.

2021년 현시점에서 직접 살인 간접 살인(사주) 방치 살인 등의 범죄 행위에 대해 너무 관대한 판결로 사법부가 지탄받고 있다.

큰 범행 후 외국으로 도망간 범죄자들을 왜 잡아 오지 못하는가? 이런 와중에 "보이스 피싱"을 대놓고 조직화하고 있어 사법부를 긴장시키고 있다.

그동안 중국 내 조선족 범죄자들을 경계하는 사이에 국내에서 자기네 조직내 "성과금 차등제도"를 두어 인센티브를 지급하는 사태가 벌어져 사회적 문제가 아니라 국제적 범죄가 되어버렸다. 더구나 외주업체(?)와 계약까지 한다고 하니 기가 막힌다.

법치를 무너뜨리는 범죄자들 입양아를 "방치 살해"에 3년 판결을 낸 판사가 구설수에 휘말리고 있다.

지구촌이 왜 이러나?

살인범 부부에게 "3년형"이 뭐냐?

사형제도 양형 인상 일부 사법부 범죄 행위에 "무관용 양형 실행"하고 보이스 피싱 범죄자들 최고 사형제도를 도입하여 "악성 범죄 근절" 시켜야 하지 않을까?

놀랍다.
보이스 피싱같은 사기에 성과금 주고 외주까지 주는 세상이 되다니 말이다. 그 옛날 왕서방 짓거리가 2021년 지금 한국에서 벌어지고 있어 인권보다 중대 범죄를 틀어막아야 할 듯하다. 악성이 판치는 세상 줄 서서 들어가는 국회의원 제도 때문에 "국범들"이 철판 깔고 나랏돈 축내고 있지 않은가?
보이스 피싱 색출에 포상금 크게 인상하고 1~2계급 특진시키면 어떨까? 현재 국민의 10% 이상이 피해를 당하고 있지 않는가?

박빛나, <재규어, 붉은 늑대와 여우>

양구 여우고개 체험담이 무서워요

양구와 춘천 경계선 500m 산악은 고개 이름이 그냥 여우고개라 한다. 한국전쟁 춘천 홍천 전투 때 인민군이 몰살한 고지라고도 한다. 이곳엔 단군 동상도 있고 사찰과 순복음 기도원도 있다. 또 단군교들이 전국 초등학교 동상 건립이 말썽이 된 지역이다. 옛 여우고개 길은 꼬불꼬불하고 차들도 뜨문뜨문 다녀 낮에도 으시시하다 한다.

7년 전 ,이곳 기도원을 찾은 중년 남자의 경험사례가 있어 소개하려 한다.

기도원 숙소가 부족해 산자락 밑의 마을에 집 한 채를 얻어 남자들 숙소로 지정했는데 이 분이 아침 예배를 마치고, 1500m 떨어진 숙소를 향했는데 아무리 올라가도 숙소가 안 보여 정신없이 한여름에 땀 흘리며 조금만 더 가 보자 했는데 정신을 차려보니 정상에 서 있었다 했다.

깜짝 놀라 밑을 내려다보니 기도원과 마을이 조그맣게 보여 자리에 그만 주저앉아버렸단다.

기도원 전화 안내를 보고 전화했더니, 남자 목소리가 들리면서 "또 홀렸네. 그 자리에 꼼짝말고 사도신경 외우고 계세요. 제가 금방 갈께요."

그 남자 목소리가 시키는 대로 사도신경을 외우고 있을 때, 기도원 부원장 목사님이 오셔서 손가락을 펴고 몇 개냐고 물었다 한다.

열 개요 하자 목사님은 그 사람을 차에 싣고 내려갔다 한다.
이 동네는 단군 섬기는 무당의 기도 처소여서 간혹 무엇엔가 홀리는 경우가 있다는 것이다.
여우들의 장난일까?
아님 샤머니즘의 몽상이었을까?
현직 수사관의 하계 휴가는 "홀림 현상"으로 망칠 뻔 했지만, 기도원 원장의 기도로 은혜 받고 귀가했다고 한다.
전설 이야기에 의하면 구렁이 여우 등 무엇에 홀리게 되면 잠시 뇌가 기능을 잃어버린다 한다.
그래서 손가락이 몇 개냐고 물은 것이다. 정신착란(뇌경색 치매 뇌기능 마비 등)이 현대의학에선 "손가락 처방"으로 상태를 진단한다고 한다.
현대판 "여우고개 전설" 조금만 더 가 보자.
1시간 동안 정신 줄을 놓게 한 그 정체는 뭘까?
7년이 지난 지금도 "귀신에 홀렸나?"라는 말 밖에는 이 현장을 설명할 수 없다고 본다.
단군 동상과 기도원이 존립하는 마을에서 일어난 "여우에게 홀린 사건"이 과연 맞을까?

세상이 참 어지럽다

"괴인들이 보도되는 세상으로 변했네"
미국영화 전성시대 1970년대, 1980년대는 "권선징악의 시대" 였다.
 서부 영화도 전쟁 영화도 라스트 씬에서 모두 나쁜 놈들을 지옥(땅속 감옥)으로 보내면서 영화는 끝난다
 그런데 한가지 공통점이 있다.
 자기 자신이 "악의 종자" 인 줄을 모른다는 것이다. 우리는 이것을 "잘 난 멋에 사는 인간들"이라고 혹평한다.
 앞서간 친구가 한 말이 생각난다.
 "작가 친구야! 한국의 관료들은 "공무원 고시"에서, 국회의원은 지역구에서만 임명해야 하고, 장관은 그 분야 전문가 중에서 임명하고, 도지사 시장은 "행정고시" 출신 중에 임명해야 "국민봉사 사명자"가 될 수 있다고 본다."
 기자가 묻는다.
 조선시대 "과거시험제도" 도입하자는 말인가?
 "예를 들면 국회의원 1차시험 합격자로 지역민 호응도 반영하여 선발해야 4년간 국정에 도움될 것이다.
 프랑스 최고 도적 루팡에게 "괴도 루팡"이란 닉네임을 붙인 것 같이 우리도 "괴도"라는 명칭을 사용하자. 2021년 우리나라에 괴도가 이렇게 많을 줄 예전에 미처 몰랐다.

법조인 비리가 상하구분 없이 막 터져 나온다.
양심? 미리 지옥에 갖다두었나 본다. 심하게 꾸짖는 사설이 없는것 보니.
히틀러도 스탈린도 모택동도 폭군 네로도 전쟁광 히데요시도 약심장 트루먼도 땅속 감옥으로 가고 없다
"괴인들 괴새끼들 괴녀들" 이름 앞에 "괴도"라는 애칭을 붙이자는 말이다.
지구촌에서 인재모집 공고 나오면 아마도 한국인은 제외될 듯하다. 툭하면 돈 싸 들고 미국으로 도망가니까.
노래 "푸니쿨라 푸니쿨리 명곡"이 떠오른다.
가사가 섬찟하다. -새빨간 불을 뿜는 저기 저 산에 올라가자. 저곳은 지옥 속에서 솟아 있는 곳. 보고가자, 보고가자-.
어지러운 세상 "괴인들의 이름들"이 신문지상에 보도되고 있다.
과연 몇 명이나 될까?
기자수첩에 그 이름들이 메모되고 있지 않는가? 하지만 억울한 괴도들은 재판장에서 변명하기 바란다.

007가방 전성시대에서

1970년대 제약업계가 대한민국 경제발전에 일조한 시절이었다.

한국전쟁 20년 후 전쟁 즈음에 태어난 세대들 가운데 육군 공군 해군 해병대 특전사 등이 북한군과 대치하면서 군 생활을 했다.

그때 경례가 "멸공"이었다.

김영삼 김대중 이후 슬그머니 "충성"으로 바뀌고 노무현 이명박 박근혜 문재인 정권에서도 여전히 충성이다.

1980년대 중국에서 곰쓸개 등 중국 건강식품이 조선족을 통해 마구잡이로 들어왔다. 그 당시 제약영업부에서 그들을 돕기도 했다. "팔아 주세요. 조선족은 우리 민족입니다." 노태우 대통령의 간곡한 호소에 힘입어 아마도 서울 시청 공무원들이 많이 사준 것으로 기억된다.

그런데 40년이 지난 지금은 중국인 조선족 중국 유학생은 우리의 경계 대상으로 전락하고 말았다. 1990년 2000년 2010년 2020년대 중국은 포악성을 드러내었는데 사드 롯데 문제를 꺼내기 전 박근혜와 시진핑의 외교 문제가 시발이 되어 오늘날 친중파가 돌출한 것이다.

제약회사 영업부의 대명사 "007가방"을 20년간 들고 다녀 헌 가방이 됐지만 가방에 담긴 추억을 집필해 두었다.

주인 찾아 48시간 헤맨 견공들

진돗개의 왕국 진도에서 이색 게임이 진행되어 전국을 놀라게 했다.

군 전체에서 목줄 풀고 자유롭게 생활한 진돗개 중 5견공을 선정하여 과연 자기 고을 자기 집을 찾아올 수 있는지를 실험하는 특별한 행사였다.

개 주인들은 혹시라도 내 새끼를 잃어버릴까 염려를 하면서도 "오케이 우리 진희를 믿는당께."하는 기대감도 그에 못지 않았다.

그렇게 행사는 시작되었고 5마리 진도견들은 각기 광주 해남 진주 여수 순천으로 주최 측 차를 타고 일제히 떠났다. 과연 되돌아올 수 있을까? 주인들은 이튿날부터 진도대교에서 자기 새끼 같은 애들을 기다리기 시작했다.

하루가 지났다. 후각이 뛰어난 진돗개들이 무사히 진도대교로 갈 수 있을까?

주최측에서는 마치 마라톤에서 하듯이 진돗개들에게 물과 마른 쇠고기를 주며 열띤 응원을 해주었다. 또한 밤엔 수행차량 옆에서 잠자고 아침이 되면 출발하는 진돗개들을 부지런히 뒤따라가도록 차량 지원을 아끼지 않았다.

2일째 되는 날에도 진도대교 입구엔 주인들이 기다리고 있었다.

2마리가 먼저 주인과 해후했고, 1시간 뒤 2마리가

귀환하였다. 그런데 해남에서 출발한 진돌이가 엉뚱한 길로 접어드는 바람에 수행 차량이 애를 먹었다 한다.
한국 최고 명견들의 "자기 집 찾아오기"한 결과를 보니 모두 찾아온 것이다. 그중 해남 읍에서 출발한 녀석은 산길 논길로 길을 잡아 수행차와 숨바꼭질하는 바람에 4시간이 차질이 나 주인 애간장을 태웠지만, 무사히 주인 품에 안겼다. 후각의 예민함으로 진도 고향(?)을 잊지 않고 찾아왔다고 한다.
진기한 축제는 진도 명견의 영특함을 드러냈고 해외 취재진도 토픽으로 지구촌에 알렸다고 한다. 영리하고 충성심이 강한 진돗개는 옛날엔 호랑이와도 싸웠고 멧돼지 사냥에서도 제주견 이상으로 사냥 기술이 뛰어나다고 한다.
한국의 명견인 진돗개 풍산개 경주개(동경이 꼬리 짧은 개) 삽살개 제주견을 "5대 명견"이라 부른다.
제주견 중 진돗개 닮은 애들이 간혹 보이는데 고려시대 삼별초군이 진도에서 제주도로 후퇴할 때 데리고 왔다는 일설도 있다. 사자를 죽일 수 있는 동물 중에는 하이에나와 들개가 1~2위를 차지한다고 한다. 아프리카에서는 실제상황이라 한다.
풍산개와 진돗개도 멧돼지와의 "한판 승부"에 자신만만하다고 진돗개 연합에서 말하고 있다
먼 길에서 돌아온 진도견들 한국의 자랑이자 세계의 영광이 아닐 수 없다. "진돗개 견공 모두 파이팅!“

"카막이"라는 신종용어 등장하다!

카카오 시대에 아직 "카톡"을 볼 줄도 보내지도 못하는 산골 마을 어르신들(70대 이상)에게 카톡을 가르쳐 주는 우체부 택배기사가 있어 모바일 시대 귀감이 되고 있다. 주위에서는 "자식들보다 낫다"고 칭송이 자자하다. 노인들끼리 사는 산골에서 자식들도 가르쳐 주지 않는 카톡 문자를 가르치는 택배 선생님이 지구촌 취재망에 포착된 것이다. 유치원생도 자기 할머니 할아버지에게 카톡 보는 법 쓰는 법을 가르친다고 한다. 요즘 7~80대에게 핸드폰 조작을 가르치는 봉사단체도 등장했다 한다.

지구촌 연구소 사무실이 넓다면 어르신들께 꼭 알려드리고 싶다.

익산의 어느 베트남 새악시가 폰 기술자인데 중고폰을 모아 고국 고향에 보낸다 한다.

아직 카톡 못하는 60대 70대는 80대 어르신들에게 배워라. 남편과 자식들은 지금 "시대 직무 유기" 하고 있다는 걸 알아야 한다. 남편은 더 무심자이고, 자식 손자 손녀는 게으름뱅이라고 할 수 있다.

다변화 시대 모바일 스피드 시대에 대학 나온 사람이 카톡할 줄 모른다고? 유명 유튜브 일가친척이라 하지 않았음한다. 손자 유치원생 초등생에게 배우길 바란다.

70대?

이제 인생 시작 아닌가? 향후 "카막이"로 30년 살아갈 건가? 이를 악물고 배우시길 바란다.

지인들이 비아냥거리고 있을지도 모르지 않는가?

이런 분은 사회생활을 위해 남편과 자식, 사위들을 원망하길 바란다.

박빛나, <도시별에서 바라본 우주>

우주선일까?

추석 전날 밤에 보름달을 찍어 본다.

특수 카메라에도 가로등처럼 보이는 보름달 어쨌든 "고유명절 추석"이다.

25만 원 재난 지원금으로 추석준비를 위해 국민이 영세마트(시장 등)를 찾았다.

빈부의 격차는 있겠지만 지구촌은 한국을 부러워한다. 특히 중국이...

추석날 아침이 밝았다. 설악산 대청봉에도 어둠이 걷히고 있다. 긴 밤 지새운 산천초목이 움직이고 있다. 추석 새벽 풍경이다.

홍익인간(배달민족)으로 지구촌 곳곳에서 추석을 맞이하는 800만 해외동포에게도 "민족정신"이 함양되길 원한다.

그리고 5000년 유구한 역사 빼앗긴 영토 "5천리 금수강산"(러시아 일부 땅)을 되찾길 바란다.

소수민족들에게도 대한민국의 은총(경제 문화 역사대국)을 베풀자.

추석! 빗님 때문에 보름달은 숨어 사진으로 보낸다.

그래도 즐겁게 추석을 맞이하자.

긍정은 희망을 불러온다나!

희망의 나라 산 너머 남촌에는 못생긴 나무가 산을 지킨다? 심해에 사는 백상아리 바다바닥에 사는 홍어들 퇴직한 사람들 부도난 회사들 정년퇴직한 공무원들 냉기류와 싸우는 노숙인들 등등 세상엔 별별 종류의 인간과 동식물 어패류들이 각기 생명체를 유지하며 자기 생을 누리다 사라진다. 그런데 한가지 공통점은 "희생"을 안다는 것이다. 자신을 남에게 헌납한다?

그것이 배려이고 봉사하는 행위 아닐까?

남을 위해 자신의 온몸을 바친 사람들이 얼마나 될까? 배려도 봉사도 희생도 칭찬도 없는 세상이 현실이라고?

천만에! 아직 따뜻한 세상이라고 "긍정"하고 싶다.

음지의 사람들을 돕는 시민단체가 더 늘어났으면 좋겠다.

세계 경제가 불안한 가운데 코로나 기습 2년째 모두의 건강을 위해 "건강 바로미터" 글도 부지런히 써야겠다. 김홍신 작가와 김철수 작가의 공통점 "긍정하며 배려심 갖고 살기"이다. 애독자 숫자가 늘고 댓글 수가 많아져도 오만한 생각버리라던 베스트셀러 이철환 작가의 충고가 생각난다.

삶 끝나는 날까지 글 쓰면서 "긍정 칭찬 배려"하며 세상을 이기고 싶다. 아리스토텔레스 형과 "절대 긍정"으로 살기로 손가락 걸고 약속하고 싶다.

모바일이 농아인끼리 소통시키다

오래 전 "농아인"(청력 언어가 불가한 이 등) 취재를 한 적이 있었다.
수화를 모르는 기자는 A4용지 놓고 "필서"하면서 대화를 이어갔다.
태어날 때부터 말도 못하고 듣지도 못하는 "농아인"을 위한 "수화"가 개발돼 그들의 "소통"을 돕게 되었는데 항상 의문점이 있었다.
그분들이 모두 핸드폰을 갖고 다니는 것이 무척 궁금했기 때문이다.
2021년 3월 5일 금요일 저녁 시간에 50대 남자가 부산 지하철 연산역 전동 휠체어 충전기계 앞에서 핸드폰을 세워놓고 약 10분간 동영상으로 수화하는 걸 우연히 목격했다.
얼마나 재밌게 "수화 대화"하는지 충전하면서 한 컷 찰칵했는데 그동안 제주도 안순0님의 폰 소통에 대한 의문점이 단번에 풀렸다.
농아인의 "폰 수화법"에 대한 의문이 풀린 것이다. 서로 동영상 켜놓고 대화하는 그들의 소통법을 직접 목격하고 "22세기 모바일"을 극찬하게 된 것이다. 충전기 위에 폰 놓고 두 손으로 대화하는 잘생긴 남자의 대화 상대는 같은 연배 친구인 것 같았다.
"사랑해요." 수화밖에 모르는 장애인 기자는 가슴이 뭉클했다.

전 세계인이 소통하는 "수화"를 이제는 핸드폰으로 서로 얼굴보며 대화하는 시대에 사는 그들의 표정은 상당히 밝아 보인다. 20년 전까지만 해도 "직대면 수화"가 "영상통화"로 발전된 "모바일 기적"이 놀랍기만 하다.

30여년 전 삐삐시대 20여 년 전 스마트폰 시대가 열렸을 때 환호성 불렀던 젊은이들이 지금은 "40대"로 "모바일기적"을 가르치는 위치에서 세계로 향하는 대한민국의 홍보대사로 우뚝 섰다고 본다.

오늘도 영상을 통해 "표현의 자유"를 만끽하는 "농아인들" 그들의 "영상 수화"에서 뚝심과 용기와 지혜와 긍정을 배운다. 장애인 다큐 작가로 최선 다해 "집필"에 올-인하며 행복한 미소로 "험고개"를 넘고 싶다. 인생 3막의 무대에 선 분들을 위해 열심히 글쓰는 작가 되기로 굳게 다짐해 본다.

운동 저축하여 운동적금 찾아 노후인생에!

어느 체육교수가 조사한 통계에 놀라운 논문이 있었다. 운동과 수명의 관계론이었다. A교수는 운동을 "그냥걷기"를 표준삼아 주목을 끌었던 것이다.

자신이 1년간 체험을 했는데, -주차는 멀리에 시키고 걸어서 출근하기 식당도 멀리 새벽걷기 어느 때는 걸어서 출근 등 "걷기"하면서 공짜 "걷기 적금"에 가입한 것이다

300일 후 "건강검진" 결과가 나왔는데 본인도 깜짝 놀랐다고 한다

50대가 40대 건강을 유지하고 있다는 놀라운 의사의 말을 듣고 1년 연장하여 걷기운동 했더니 습관이 되어 퇴직 후에도 약속장소에 1시간 전 걸어가는 습관이 됐고, 매주 토요일에는 특별한 일 없으면 집 가까운 백운대(우이동) 산행하며 노후를 즐기고 있다

습관 운동적금을 1년씩 가입했더니 퇴직 후 돌아온 것은 "건강뿐" 이라 했다.

산행의 지팡이는 무거운 것으로 갖가지 검도(?) 유형으로 상체운동도 했다고 한다.

노년의 건강한 삶 걷기를 적금 들고, 푼돈 적금 든 A교수는 환하게 웃으며 "기자 양반 웬만하면 차를 쉬게하고 걸어다니세요."

벌써 10년 전 취재했던 "건강 어떻게 지킬 것인가?"가 생각난다

30년 전 노래 가사 "상쾌한 아침이다.
걸어서 가자 너도 걷고 나도 걷고---"
지금 바로 "걷기 시대"로 건강한 개인 가정 사회가 되었으면 한다.
"건강보험" 공짜로 가입하세요.
걷기만 하면 되니까요!

1950년생 전쟁둥이 인생

단군 이래 출생자가 가장 작았던 인구 비례. -그 원인은 "피난통 출생"이라 사망률이 컸다고 한다

1948년 이스라엘건국 대한민국건국. 대만 임시정부. 스페인내전 끝. 칠레 민주화 등등 지구촌이 안정을 되찾을 즈음 동아시아에서 전쟁이 발발한 것이다.

세계가 지켜보는 가운데 김일성의 야심과 스탈린의 묵시적 허락이 세계 제2차 대전이 끝나 후유증에 고달팠던 유럽국가의 참전-"16개국 참전", 20여 개국의 군수물품 병원 파견으로 대한민국을 도왔다.

해방 5년 건국 2년의 기쁨이 채 가시기 전 공산주의와 싸워야 했다.

1950년 11월 압록강까지 수복한 맥아더 총사령관이 투르먼 대통령에게 만주지역에 "원폭투하"를 강렬하게 상소(?)하자, 소련 눈치를 본 투르먼이 거절한다. 만일 원폭을 했더라면 어떻게 됐을까? 모택동은 북경 이남으로 후퇴했을 것이고 전쟁은 1950년 12월에 끝났을 것이고 한반도의 "3천리 금수강산"은 실현되었을 것이다. -연해주와 쑹하강 일대도 수복하여 옛 고구려 발해 영토까지 회복했을 것이다. 단 한 사람 때문에 "역사의 지도"가 바뀐 것 아닌가?

1948년~1953년 "6년 전쟁", 이 기록물을 후세에 남겨야 한다. 향후 50년의 후손들이 진실된 "한국전쟁"을 배워야 한다. 역사의 대통령들이 지구를 떠나고 있

다. 이승만 박정희 윤보선 최규하 전두환 노태우 김영삼 김대중 노무현까지 세상을 등졌다. 이제 이명박 박근혜 문재인만 남았다.

조선시대 왕이 승하하면 사관들의 붓놀림이 바빠진다. -새 임금은 선대 전왕의 실록을 볼 수 없다. 그런데 연산군은 보았다. 그리고 광기가 치솟았던 것 같다.

우리 동네 우이동 무덤에 가서 물어보았더니 침묵하더라. 한국전쟁 언제 끝나려나?

1950년생 나이도 이제 73세를 지나고 있지 않은가?

100세 시대가 됐으니 누가 망하던 그 꼴을 볼런 지는 알 수 없어도, 우리 자손은 아버지 할아버지가 남긴 38선을 놓고 22세기를 맞이할 것이다.

100년 후면 이 땅에서 멱살 잡고 깝떼기 벗긴 일, 몸싸움하던 한량들도 모두 사라질텐데. 대장동 신도시 돈 종이돈을 가슴주머니에 하나 가득 쑤셔 넣으면 뭐하냐? 모두 두고 갈텐데.

돈 먹는 하마들이 미국으로 도망치고 있다.

모 여기자와 변호사 가족이 날랐다.

1950년생 사는 날까지 열심히 살길 바란다.

한국 대통령 중 이제 3총사만 남았네.

2021년도 해가 저물고 새해가 되면 국민의 마음이 바꿨으면 좋겠다. 국민을 위하는 후보를 선택했으면 싶다.

Part 5

코로나 19 매일 묵상

의약 이야기

비쌀 이유 없는 "오리 두루치기", 식당 개혁할 때!

작가의 친구 박진수는 돼지 두루치기를 가장 좋아한다. 건강식품 계열에선 자타가 인정하는 박사급 교수라고 불린다.

1999년 납중독으로 작가가 여주병원에서 목숨이 경각에 달려있을 때, "일제 키토산 5병"을 들고 마지막 친구 보러 온 가장 친한 벗이다.

"친구야! 퇴원한다며? 집에 가서 일본 키토산 먹고 완치 되길 바래!"

인생 50대에서 먼저 가려는 친구에게 "키토산"을 준 친구는 돼지 볶음을 최고 건강식이라 했던 말이 기억난다.

고마운 친구들 -박진수 대표 김낙현 대표 유광희 이사 백준원 교수 강석정 목사- 은 모두 작가의 "20년 지기" 벗이다.

이번 첫 출간 되는 "그냥 이야기" 단행본의 "추천사"를 부탁하려 한다.

대부분 기라성 같은 분들에게 부탁하지만 이번 출판에선 이 친구들에게 추천 격려사를 부탁하고 연이어 출간할 "설악산 하늘 다람쥐"에선 한국다큐멘터리 최고 베스트셀러 "연탄길 골목길" 이철환 작가에게 추천사를 부탁할 것이다.

작가는 "겸허하고 겸손해야 한다고 말씀하신 한국

최고 "백제사 전문" 임승국 박사님의 영전에 작가의 역사서를 바치려 한다.

"그냥 이야기"는 2020년 8월 1일부터 천둥 치나 태풍이 오나 눈비가 오나 강풍이 부나 찬란한 햇빛 보며 하루도 빠짐없이 연재해 존경하는 애독자께 보낸 작품이다. 칼럼 논평 기사 사설 기자 수첩 평론 논술 등의 혼합이야기이다.

2번 생명을 망각할 뻔했지만, 작품들을 완성하고 우주여행을 "누리호" 타고 떠나려 한다.

요즈음 코로나로 식당가의 고난이 있었지만 볶음 전문점이 더 많이 생기기를 바란다.

오리볶음 가격이 비쌀 이유 없다고 본다.

우리 몸속 독소 배출을 돕고 면역력 강화와 바이러스를 강력하게 퇴치하는데 탁월하다.

“세균 꺼져!!”

“노폐물 비켜줄래?”

100인의 의사들이 가장 좋아하는 "오리 두루치기"로 "건강 바로미터" 삼아 보시면 어떨까요?

작가는 오리 훈제 볶아먹고 60대 초반 얼굴됐어요. 진짜랑께로~~^^

차별대우 받는 고구마 감자

중세시대 유럽 기사와 시종의 점심이 달랐다.
고구마와 감자였다.
조선시대 양반은 하루 2끼만 먹었고 마당쇠는 3끼에 참까지 먹었다.
고구마는 경기도 여주 고구마가, 감자는 대관령 해남 제주산(남작)이 가장 맛있다.
고구마 원산지는 중앙아시아이고, 감자 원산지는 남아메리카이다.
인류가 민족 대이동을 할 때, 북미 인디안 남미 인디오들이 발견한 식물이 주식이 됐다고 한다.
그 후 감자와 고구마는 신분이 달라졌다. 유럽 귀족은 고구마 먹고 시종과 군사들은 감자를 먹었다.
전쟁터에선 감자고 고구마건 닥치는 대로 먹었다는 기록이 있는데 나폴레옹이 동로마를 공격할 때 병사들의 옆구리 식량을 검사하였다 한다. 지금의 옆으로 매는 가방은 프랑스가 패션으로 개발했다고 본다.
삶은 감자(스프)와 구운 고구마는 귀족의 음식이 됐고, 영양 최고 감자는 19세기 산업혁명의 원동력이 됐다.
강원도 뚝심은 감자에서 나오고, 경기도의 배짱은 고구마에서 나오는 것 아닐까?
중국 일본 죽었다 깨어나도 "라면 맛" 한국을 따라잡을 수 없다고 뉴질랜드 호텔계에서 홍보하고 있다.

자연을 다스리는 건강수가 지구촌에 떴다

북청물장수 대동강물장사 영도다리 물꾼.

울진 왕피천물 양양 오색약수 태백 황지못 설악산 장군바위물 남미 안데스물 파키스탄 훈자마을물 프랑스 천연약수 에콰도르 3~5천m깊이의 샘물 스웨덴 핀란드의 빙하수 등등은 지구촌의 물부족을 보충하는 "자연생명수"라 할 수 있다.

인체 70%를 물로 건강을 지키는 시대가 됐다.

물속에 사는 세포군들 "목마름을 해갈해 주세요."

전투 세포 "과립구와 림프구"는 매일 독소(각종 바이러스 병원균 노폐물 등)와 한판 승부를 가린다. 이때 후원 부대는 "건강수" 아닌가?

건강수로 치료하는 시대가 됐다.

십여 년전 뉴질랜드에서 열린 "세계 물 포럼"에서 지구촌 석학들은 "물로 치료하는 병원 건립이 도래했다"고 연구 논문을 제시해 관심을 끌었다. 건강수로 치료가 된다? 치료병원 "물과 전문의"가 과연 탄생할까?

의약 의학 전문기자에 따르면 건강수를 뿌리고 마셔 상처의 호전을 직접 눈으로 확인하고 기사를 쓴다는 말을 들었다.

왜냐하면, 자신의 상처를 자신이 치유했기 때문이다.

지구촌 물 분쟁이 시작됐다.

나일강을 두고 이집트 수단 에피오피아 카자흐스탄과 주변국이 물 분쟁을 벌이고 있다. 미래학자들은 "

물 분쟁 심화"를 심히 우려한다.
그리고 "물 전쟁"도 경계한다고 한다.

2022년도 유라시아 아프리카 동남아시아 "물부족 사태"가 염려된다.

내과성 질환 외과성 치료 등을 "건강수"로 고친다면 분명히 "의학 혁명"이 아닐 수 없다. 또한 "자연 의학의 쾌거"가 아닐까?

전투 세포(과립구와 림프구)는 싸움꾼!!

전투 세포는 최전방에서 적과 싸우는 고려 시대 "삼별초군 병사" 같은 "특전 세포"이다.

우리 몸을 질병으로부터 구해주는 역할을 "7개 세포"가 모두 맡아 하고 있는데 생명이 끝나는 날까지 우리를 지켜주는 "특전 대 세포"라 할 수 있다. 면역세포 본부는 "대장"에 주둔하며, "단순 세포와 복합 세포"를 총지휘하고 있다.

군대에 공군 해군 육군 해병대 특전대 예비군 등이 있듯이, "세포 군단"은 바이러스 독소 병원균(항원) 노폐물(활성산소) 각종 생성 암(매일 생성되는 암인자 등)을 억제시키는 역할을 함으로 우리의 건강을 지켜준다.

7개 세포 군단(대식세포 베타세포 NK세포 T세포 미토콘드리아세포 과립구 림프구)은 우리가 잠자는 시간에도 "적"과 싸운다. 그래서 "생명부지"라는 말이 생긴 것 아닐까?

전투 세포는 2가지다. 과립구와 림프구인데 이들 세포는 오직 싸우다 죽는 세포군이다. 과립구는 직접 독소를 잡아먹고, 림프구는 자기 속에 균을 가두어 서서히 녹여 죽인다. 쓰레기가 쌓이면 말끔히 치우는 "미화원 청소부"처럼 7개 세포의 "역할 분담"은 놀랍고도 놀랍다. 그래서 우리 사회는 "미화 청소부"인 그들을 존중하고 존경한다.

면역력 강화는 우리의 "건강 바로미터"라 본다.

바이러스 유포 진상이 밝혀지고 있다

2019년 중국에서 대규모 "세계 군인 체육대회"가 열렸다.

마치 "세계 군복 패션" 경연대회같이 관중의 인기가 높았다고 한다.

근데 문제는 체육대회가 끝나고 귀국한 외국인 병사들이 "괴질"에 걸렸다는 소문이 난 적이 있었다.

중국 수질 탓으로 돌렸는데 2019년 말에 돌연 "우한 바이러스"가 시작됐다.

과연 우연일까?

이때부터 캐나다 미스터리 중국미스터리가 시작되면서 지구촌은 혼란 속으로 빠져들기 시작한 것이다. 세계정보기관들이 무능했다? 모두 대수롭지 않게 생각했지만, 미국 CIA는 눈치챈 것으로 보인다. 암튼 지구촌은 대혼란에 빠져들었고, 와중에 몇몇 국가들은 주판알 굴리고 국민통제에 들어갔다고 한다. 나토 연합 30여 국에서...

그럴싸한 스토리로 중국인이 "캐나다 세균 연구소"에서 어떤 세균을 훔쳐 우한으로 도주했다는 루머도 있었다고 한다.

지구촌 22개국엔 각 정보기관이 있지만, 미국 이스라엘 영국 러시아 프랑스 독일 등 정보기관들은 우한 코로나를 보고, 자신들의 무능을 알게 되었다. 그래도 모사드는 믿었는데 대실망이다.

괴질 '코로나19' 후진국일수록 조용했고 선진국들이 중국에 놀아났다는 것이 신기하다. 향후 수사가 끝나면 "개인소송 국가소송"으로 이어질 텐데 중국땅을 모두 팔아도 보상 감당되지 못할 것이다.

대국이 "부도" 날 것 같다.

빼앗은 만주 땅 되찾을 자격 없는 연해주 땅도 돌려줘야 할 중국이 지금 완전 코너에 몰릴 것 같다. 이 대사건은 WHO와도 연관돼 있고 중국에 협조한 국가도 배상 때 책임을 물을 것 같다.

코로나 바이러스 유포 사건은 독가스 살포 죄보다 훨씬 무겁고 잘못하면 전쟁도 불사할 것 같다.

나토군 30여국 동아시아 호주 뉴질랜드 캐나다 인도 사우디 일본 대만 베트남까지 중국에 대항할지도 모른다.

지구촌의 멸망 의혹을 시진핑이 몽땅 뒤집어썼다고 본다. 에티오피아 공범 드러나면 'IS' 꼴 난다.

세상이 이상하게 돌아간다.

지구촌에 비밀이 있다고 착각하면 큰 오산 아닐까?

지구촌에도 루머 가짜뉴스가 판치지만 이번 코로나 발생 수사가 끝나면 지구촌이 책임을 반드시 묻게 돼 있다고 본다. 근데 미국과 러시아가 왜 두 번씩이나 "우린 싸우지 않는다."라고 서명했을까? 추측하건대 중국 코로나와 연관된 것으로 보인다.

지구촌은 코로나 대사건으로 만 2년간 시달려 왔다. 백신 장사치만 배 불리고 마스크도 한탕하고 대신 감기 독감은 뚝!

그러나 국가별로 대단한 예방법을 강구해 한국은 기독교만 훈련받았다고 본다.
네덜란드 헤이그 형사법정에 제소하면 즉각 판결내려 집행하면 된다. 공범도 함께...
미국이 아프간 내려놓고 다음 준비를 하는 것 같다.
"대만을 건드리기만 해봐라!" 전쟁은 중국 동해에서 시작될 듯하다. 미국 "항모전단" 몇 척이 올까? 4척만 오면 3척은 중국을, 1척은 다른 사용 용도가 있지 않을까?
옛날에는 "3차대전"을 겁냈지만 그럴 필요 없다. 군사 전문가들은 말한다. "시간 싸움"이다. 120분 이상 소요할 필요 없다." 최첨단 신예 전폭기와 항모(핵항모) 3척이면 충분하다고 한다. 이라크와 아프간과는 전혀 다른 "전쟁 양상" 일 것이라 한다. 공중전 해상전만으로도. 육상전은 별 볼 일 없다고 한다. 만주 내몽골 티베트 서역 위구르 등을 빼앗은 중국은 다 돌려주고 나면 황하강, 양자강 뿐 아닌가?
그러나 아직 세계가 중국을 제소하는데 시간이 필요할 것 같다.
하지만 순식간에 벌어진다.
세계 제1차대전 제2차대전 태평양전쟁 한국전쟁처럼...
대만국민도 각오한 것 같다. 공중전 해상전을 미국과 함께 치를 각오가 눈에 보인다.
전쟁의 먹구름은 점점 다가오는데...
2022년 세계보건기구(WHO) 사무총장이 국제 형사

재판소에 서게 되면 책임 전가를 할 것 같다.
누구에게?
원래 염소 100마리 키우는 부자가 염소 1마리 키우는 가난뱅이에게서 1마리마저 빼앗는 악한 성품으로 망한다는 옛 얘기가 생각난다.
200여 국가가 "손해배상권" 청구한다면? 그래도 "나 몰라" 한다면 결국 강제집행 수순을 밟게 될 것이다.
수상한 바이든의 세계순방에 "해답"이 있을 듯하다.
또 하나.
미국이 아프간에 중화기들을 두고 나왔는지도 생각해 보기 바란다.
현재 대만이 중국의 위협으로 도마 위에 있지만 세프(미국 요리사)에 의해 살아날 수도 있다고 본다.
코로나 사태에 연류된 국가들이 지금은 피씩 웃지만, 글쎄 나중에도 웃음이 나올까? 미국 CIA가 벙어리 삼룡이 아니거든.
우리가 잠든 사이 코로나 수사는 계속되고 있다.
분명한 증거가 있는데도 "오리발 내밀면" 지구촌이 무력행사할 것 같다. 바이든! 정치 10단 실력 발휘하길 바란다.

닭고기 먹고 "임진전쟁" 이겼다고?

노량해전을 끝으로 "7년 전쟁 임진 전쟁"이 막을 내렸다. 전쟁을 일으킨 풍신수길(도요토미 히데요시)은 울화병으로 급사했고, 이순신 삼도(충청 경상 전라) 통제사는 장렬하게 전사하면서 "세계 대해전"이 끝난 것이다.

세계 대해전 "로마와 카르타고 해전" "그리스(스파르타)와 페르시아 해전" "영-불 해전" "영-스페인 해전" "남태평양 해전" "영-아르헨티나 해전" "청-일전쟁" "러일전쟁" 등등 지구촌 해전은 많았다.

12전 12승 이순신 장군의 "승전 비결"이 있었다.

숨겨진 역사지만 경상도 전라도 지방 민가에서 키운 "닭과 달걀"이 조선 수군의 "면역력"을 높여 노 젓는 병사들의 건강을 지켰다는 사실이 의약 전문기자에 의해 밝혀졌다.

현재 군대에서 닭 돼지 소 중에서 장병들에게 가장 많이 공급하는 "닭요리"가 "면역 황제"라니 치킨버거도 자주 먹어야겠다.

지구촌 75억 인구들이여!

닭고기로 면역력 찾고 백세 건강 누리기 바란다.

눈물 피땀으로 스트레스 당뇨 암 진단한다

피땀 눈물에서 질병을 찾아내는 시대가 됐다.
피검사 소변검사뿐만 아니라 이제는 땀과 눈물에서 암 스트레스 당뇨 검사하는 진단법이 나와 의학계가 쾌거를 부르고 있다.
짠 눈물과 땀엔 독소나 병원균 바이러스 등이 활동하므로 이들 검사로 암을 찾아내고 스트레스와 당뇨도 척척 진단한다.
한국 의학이 세계 수준급이란 것은 지구촌이 인정하고 있지 않은가? 진단학계의 꾸준한 연구에 의해 드디어 성공한 것이다.
당뇨환자의 경우 매일 2번 뽑는 핏방울로 인해 인체는 엄청 단백질을 요구하지만 충족치 못해 걱정이었다. 그런데 방사선 시설이 미약한 일반 내과도 땀과 눈물로 진단할 수 있게 되었으니 다행이라 생각된다.
눈물과 땀으로 당뇨 혈당 측정이 되니 환자에게 얼마나 큰 도움이 될까? 당뇨병 자가진단 시 눈물로 할 때 포도당 농도에 따라 색깔이 변한다고 한다. 피 안 뽑고도 측정할 수 있다고 하니 당뇨로 고생하는 환자들이 환호할 듯하다.
스트레스 측정? 이제는 "원자 현미경"으로 100% 측정되고 스트레스 측정 패치도 개발되었다.
"의학아, 고맙다!" 이젠 뼛속 암까지 찾아내 죽이는 시대에 우리가 살고 있다고 본다.

소금이 고급화되고 있다고?

고조선 시대에 만주, 내몽골, 중국 북부지역과 중앙아시아를 호령하던 우리 조상이 가장 아끼던 보물 3가지가 있었는데, 그중 제일이 소금이고, 제2가 곡식 그리고 제3이 은전이었다고 한다.

고구려 시대에는 "원정상인"의 주 품목이 "소금"이고, 다음이 생필품 한약재라 했다. 특히 내륙국가는 비단보다 "소금"을 생명 염이라며, 깊은 동굴 속에서 "암염"을 캐내어 물과 함께 보물 1호로 딸이 시집갈 때 비단 주머니에 넣어주었다 한다. 중앙아시아에서는 소금 보유량에 따라 빈부 격차가 나기도 했다고 한다.

소금의 종류는 암염, 천일염과 정제염으로 분류되며, 효소 작용이 강한 장류, 김치와 젓갈 등이 혈압, 면역력과 혈관 등에 치명적이라고 현대의학이 주장했지만, 지금은 정제염 (화학성분) 외 건강 소금, 죽염과 천일염 등이 고급화되면서 프랑스의 게랑드 소금이 인기를 끌고 있다. 자연의학에서도 인체 청소부인 건강 소금의 섭취를 권하고 있어 의학계와 약간의 충돌이 예견된다. 아무튼 티베트 마늘 소금, 신안 천일염, 죽염과 건강 소금이 고급화되어 세계인의 건강을 지켜준다니 반가운 소식이 아닐 수 없다. 프랑스 게랑드소금 좀 비켜줄래?

말쟁이와 글쟁이가 좋아하는 "사설"

종이 언론의 주인공은 1면의 톱(top)기사가 아니라, 맨 뒷면의 "사설"이다. 사설을 쓰는 사람을 예전에는 주간 주필이라 했고 지금은 "논설위원"이라 부른다. 기자의 종착역이고 군대로 말하면 ☆☆☆이고 더 이상 오를 때가 없는 직급(?)이다.

김대중 정권부터 언론 밥상에서 찬밥 쉰밥 태운 밥 설익은 밥 죽밥 누룽지밥 찰밥 콩밥 국밥 맨밥 볶음밥 등등 여러 가지 밥상을 받아 보았다.

일반기자 차장기자 부장기자 지역본부장 대기자 국장 논설위원(칼럼리스트 논평 평론 논단) 그리고 정계나 은퇴의 길로 나서면서 언론 생활을 마감하는 것이다.

유씨가 언급했나? 60세가 지나면 "뇌가 썩는다"고?

잘못 알고 있는 개똥 의학이다.

21세기 의학 세계는 다르다.

미토콘드리아 세포(에너지공장 공장장)가 우리 수명을 관장하여 대식세포 NK세포 T세포 베타세포 등 각종 전투 세포에게 질병의 90% 원인인 "활성산소"는 보고하지 말고 죽이라 명령한다.

60세 70대 80대에 이르면 뇌가 되살아나는 사람들이 늘어나고 있는 세상이 되어 "100세 시대"가 온 것이다.

쓰나미처럼 목숨도 징조가 오기 때문에 인간이나 짐승들도 마지막 때를 알고 가는 것이다.

비탈길에서 "쓰나미 이야기"를 많이 하려 한다.

무서운 "삼각파도"의 실상을 알릴 것이다.
해양 쓰나미 육상 쓰나미(강 산사태 등) 심지어 "빙하 쓰나미"까지 등장했다.
지구가 위험하다.
온실 대기가스를 줄이자.
전기차 생산을 독려하자.
산유국 18세기로 회귀하게 될 것 같다.
22세기 문턱에 선 인간들
이제 후손들을 위해 살자.
돈? 금덩어리?
땅속에 숨겨도 소용없을 것이다.
지금이라도 클라우드(기부 봉사)하면 어떨까?
침묵의 쓰나미가 오기 전에...
양들의 침묵 영화가 생각난다.

곤드레 비빔밥

곤드레 비빔밥.

강원도 정선군에 가면 "정선 5일장날"이 거창하게 열린다.

대한제국부터 열린 장터 정선장 봉평장 대화장 제천장 평창장은 "메밀꽃 필 무렵"의 작가 이효석 선생 작품에 등장하는 강원도 "민속 장터"라 할 수 있다.

지금은 정선장 대화장 봉평장만 열리고 평창 영월 제천은 고정 시장화되어 "장날 맛"이 사라졌다.

정선 5일장날(민속상품 약초 토속음식 한방류 민속놀이 등등)엔 전국에서 장을 보러 오는 관광객의 발길이 끊어지지 않고 물 맑고 산 좋은 환경 마을 정선의 "동강"은 오늘도 유유히 흐르며 옛 유배지의 상처를 씻어내고 있지 않은가?

술에 취한 사람을 "곤드레만드레"라고 지칭한다.

근데 "곤드레 비빔밥"을 먹으면 피로감이 없어져 고려 태조 "왕건"이 즐겨 드셨다고 한다.

이 나물의 힘으로 후백제 통일신라를 통합하고 "대고려"를 세웠다고 하는데 이 약초가 바로 "고려 엉겅퀴 약재" 아닌가?

간 해독 피로회복 등에 좋은 한약재를 동의보감의 저자 "허준 선생"도 왕건처럼 즐겨 드셨다 한다.

묵은 김장김치는 "유산균"이래요.

서울 깍두기 인기는 배우 "주현씨"라 하네요. 정통 서울말씨로 인기를 모으면서 60대 여주인공과 "황혼 사랑"에 빠지는 설렁탕 배달원 주현씨의 "익살연기"가 전국 중년들에게 희망을 안겨준 "코믹청춘 연속극"인데 깍두기는 안 보입니다. 작가의 의도였을까? 아님 실수였을까?

별안간 30년 전 일일연속극 서울 깍두기가 왜 생각이 날까?

"중년황혼사랑"을 깍두기 사랑이라 한다. 서울인들이 깍쟁이라고? 맞는거 같네. 그러나 이철환 작가의 "연탄 길", 김철수 다큐작가의 "그냥 이야기"에는 서민들의 향취가 듬뿍 묻어 있다.

"비탈길"로 유명한 관악구의 봉천동 성북구의 미아리고개 강북구의 삼양동 언덕길 서대문 고개길 등등 "600살 서울의 "고개 비탈길 역사"를 재조명하는 작가는 깍두기가 아닌 강원도 감자바우 인생이라 할 수 있다. 유럽 서민들의 음식 "감자"는 남미 안데스산맥의 뿌리-열매로 지금은 전 세계인이 즐겨먹는 귀한 식량 아닌가? 유럽 귀족은 고구마 먹고 평민은 감자 먹고...

22세기 "모바일 정보시대" 배달의 앱 시대가 열

리고 있다. 피자 통닭 각종 장보기 등을 오토바이 배달이 아닌 "아르바이트 남녀"가 지역배달하는 시대가 된 것이다.

작가의 아이디어일까요? 김치도 배달되면 좋겠다. 3.3Kg, 10Kg 포장으로 코로나 시대 아이들에게 비타민C 등 영양제와 김치를 먹이는 가정들이 늘어나고 있다.

정사각형 깍두기 인생 경제 등 주거문제를 챙기는 일부 투기꾼들의 행포를 그저 바라보는 국민이 "에라이 집에 가서 깍두기나 먹자"며 콩나물 전철 타고 마스크 거리두기에 안간힘을 쓰고 있지 않나?

깍두기 사랑 중년 노년에 찾아 온다면, 얼마나 좋을까?

다큐멘터리(다큐) 문학이 뜨고 있다. 긴 장문보다 사설이나 칼럼 논평 평론 논단처럼 짧게 독자의 마음에 와닿는 문학이 되었으면 한다. 영국 독일에선 다큐를 "쇼트 스토리"라 하며 작가의 인기가 치솟고 있다고 한다. 작가님 힘내!! 인생 비탈길에서 중심잡고 "황혼 인생" 누리길 바란다.

생활의 균형화!!

일상생활에도 더하기 빼기 곱하기 나누기가 있다. 평균 일생 80년이고 강건하면 90년인데 의학적 최고 수명은 125세라고 현대의학은 밝히고 있다. 현재 인생 80 고개를 넘은 분들은 "나누기 인생"을 살기 바란다. 가진 재물을 어려운 이웃에게 나눠 줄 생각을 하면 즐거워진다. 또 빼기를 좋아하면 인생이 즐거워진다. 반면에 한 푼이라도 더 챙기려 하고 인색해지면 수명과도 상관이 있다.

클라우드 펀딩을 통한 기부라는 세계적인 단어가 되고 있다. 북유럽 중 스웨덴 노르웨이 핀란드가 나누기 국가로 손꼽힌다.

세계 복지의 으뜸은 스웨덴, 노후 보장은 노르웨이, 민속놀이 노래는 핀란드이다.

허겁지겁하며 욕심 많은 민족이 잘 살지 못하는 건 "더하기 삶"을 살기 때문이다.

재산 증식 불법 펀드 불법주식 등 더하기에만 골몰하니 언론에 공개되기가 무섭게 미국으로 가족들과 도망가야 하고 "늑대 망신" 당하게 된다. 도망자들이 늘고 있다.

한국에서 크게 한탕하고 외국으로 튄 "도망자들"을 우리 국민은 인터폴(국제경찰)을 통해 잡아 오게 할 수도 있다. 이런 자 중 방송기자가 변호사 남편과 아이들과 엄청난 돈 가지고 미국으로 줄행랑쳤다. 이런 부류들은 "클라우드를 통한 기부"를 할 줄 모를 것 같다. 클라우드식으로 재산 증식하는 인간도 다른 국가로 튈 확률이 높다.
이들은 "균형된 삶"을 살지 못하고 외국에서 불행하게 살다 생을 마감할지 모른다.
힘의 격투기 태권도 유도 합기도 "국선도" 시범을 보고 역시 부드러운 동작과 균형이 마음의 안정을 준다는 사실을 느꼈다.
비록 작은 물질이지만 기부하며 살아갈 때 삶이 비로소 "균형"을 이루게 된다.
특히 언론인들은 더하기와 곱하기보다 빼기하고 나누기하는 삶이 어울리고 이것을 "균형 잡힌 삶"이라고 할 수 있다. 클라우드를 통한 기부를 꼭 기억하자!

Part 6

코로나 19 매일 묵상

법률 이야기

돈을 넝마에 쓸어 담지 말자

언론(소리 언론 글 언론)은 국민 그리고 지구촌 각 민족의 알 권리를 충족시키는 매개체라 할 수 있다.

언론을 탄압했던 한국의 2명 대통령 전두환과 노무현이 생각난다.

작가가 전두환 땐 제약회사 회사원이었고 노무현 땐 환경기자였다. 지금도 3호 검사는 환경 범죄 담당이다.

그 당시 경찰서 기자실에 대못을 쳐 기자 출입을 막았다.

지금 법률기자가 된 후에 그때 상황을 이해하게 되었다. 법조인 그들이 왜 국회 진출하여 대선의 강에서 수영하려 하는지 알 것 같다.

이제사 국민이 깨닫기 시작하나 보다.

왜 법조인들이 헌법을 무시하고 법 남용하고 불법을 자행하고 있는지 그리고 통치자가 되려고 애쓰는지 조금 알 것 같다.

그동안 수많은 기사 칼럼 논평 사설을 써 왔지만, 법조인들이 "행정 입법 사법부"에 그렇게 많은 줄 예전엔 미처 몰랐다.

2021년 들어 갈구리꾼들이 왜 그렇게 많은지 모르겠다.

자기 망태에 휴지 같은 지폐를 주워 담기에 바쁜 인간들 속에 유명 법조인들이 수두룩하니 기가 막힐 노릇이다. 아가들이 자라서 어른이 되듯이 검찰 출신이 법무사 되고 경찰 출신이 행정사 되고 판검사는 거의 변호사가 된다. 일부지만 돈에 눈먼 자들의 최후가 주목된다. 도망가서 김치공장 차린 희대 사기꾼 세월호 아들 등등이 강제 소환될 때가 점점 다가오고 있다. 그들은 켄터키옛집 노래 가사를 음미해 보라. "어려운 시절이 닥쳐오리니 잘 쉬어라 켄터키옛집~"

물 반 법조인 반. 정치계 언론과 국민은 정신 좀 차리자!

돈?

모두 두고 가는 인생 역사 아닌가?

이제 인기 연예인들 가려가면서 좋아하고 법조인도 "인성" 검증하고 선택하자. 그들은 "지킬박사와 하이드"라는 생각이 듦은 왜일까?

살인의 추억

영화 제목이 아니다.

실제상황을 재구성한 "다큐 시나리오"라 할 수 있다.

로마 시대 "검투사"(검사)의 어원이 오늘날 검사로 통칭되는가 보다.

"위증 증거"라는 법률 용어가 있다. 조사관이 사건을 조작했을 경우 담당 변호사는 "재조사 또는 재심"을 청구할 의무가 주어진다.

그래서 거액의 변호비를 받는 것 아닌가?

통상적으로 재판권은 이길 수도 질 수도 있다. 우리는 이것을 "재판의 추억"이라 하고 잊는 게 원칙이다. 그러나 물적 증거 없는데 살인교사로 몬 검사가 있어 언론에서 나서 시나리오를 구성했다.

만 7년째 억울한 옥살이하고 있는 "J형사"는 과연 살인교사를 했을까? 다큐멘터리 시나리오가 시작된다.

딱딱한 법률용어보다 감칠 맛 나는 용어로 이 사건의 진실을 밝히려 한다. 공명심 때문에 향후 경찰총장을 꿈꾸던 수사관이 금전 문제로 복역하고 있는 가운데 시나리오가 구성되고 있다. 시나리오가 가능한 것은 대법원 판결이 끝나, "재심청구" 중이고 해당 검사가 퇴직했기에 "진실공방"을 할 수 있다. 살인자의 "양심진술서" 이후 검사 회유로 진술을 바꾼 살인범 형량은 20년 교사 여부나 불분명한(증거없는) 범죄인 경우는 형사는 30년이니 제 식구 감싸는 법조계이다.

이 사건을 잘 아는 법률기자 겸 다큐작가가 필을 들고 진실에 도전한다. 시나리오 구성은 "다큐"로 다뤘다. 범죄 행위는 영원히 감춰질 수 없다. 그래서 재판부가 존재하는 것 아닌가?

세월호 사건에 묻혀버린 "칠곡 형사 살인 사건"이 7년 만에 "재조사" 이뤄지길 바란다.

정치판에 웬 법조인들이?

22세기가 다가오고 있다.

과학은 발전하고 신기능 모바일 시대로 지구촌은 축제 분위기인데 한국의 정치계는 아직도 구태의연하기만하다.

국회의원 중 일부가 자격 미달자들이라 본다.

불법을 저질러도 거북이 소환 조치 아니면 아예 눈감는 검찰의 작태를 국민이 다 주시하고 있다.

춘추전국시대도 아닌데 한국의 정치판에 자격 미달 국회의원들이 왜 그리도 많이 늘어났는지 모를 정도로 재산 증식에 혈안이 되어있다.

행정부 법조인들도 상당수 존재하고 있어 "법 개정"을 서둘러 실행해야겠다.

눈뜬 돈은 앞주머니에, 눈먼 돈은 뒷주머니에, 수상한 돈은 감자밭에, 더 이상한 돈은 자기네 벽에 쓸어넣고 도배한 인간 가운데 서민도 다수 포함되어 있다.

한국 정치사 75년 만에 100% 국민이 뽑지 않은 의원 중 정치에는 별 관심 없고 돈에 눈먼 자들의 이름이 심심치 않게 언론에 보도되고 있다. 이젠 아예 부끄럽지도 않나 보다.

지역민들도 "어찌 저런 인간이 국회의원이 된거지?" 라며 혀를 끌끌 찬다. 이렇듯 독수리 6형제 독수리 6자매가 국민의 눈살을 찌푸리게 하고 있다.

법률기자로 기사 칼럼 사설을 쓸 용기를 잃어버렸다.

천년만년 사는 것도 아닌데 "돈"이라면 사족(?)을 못 쓰는 일부 법조인들을 보고 있자니 열불이 나고 도무지 이해가 되지 않는다.

법조인 출신이 법을 무시하면 국민은 어쩌란 말인가?

세계 1차대전 2차대전 태평양전쟁이 끝난 후 "전범처리" 된 것으로 인해 전범들은 거의 남미로 도망치다시피 했다. 그후가 궁금하지 않는가?

아프간을 보라. 돈가방이 터져 휘날린 달러 지폐들! 그래서 가상화폐 시대가 된 것 아닐까?

2022년의 국제정세와 국내 정국을 위시하여 부정 국회의원들과 불법 법조인들의 거취가 자못 궁금하다.

법률 기자의 직무유기

법조인들 곁에는 일반 기자보다 법률신문 기자들이 많이 있다. 특히 사건을 다루는 검찰(지법 지검 대검 법무부 등)엔 출입 기자가 모든 법 행정까지 정보 수집하여 언론에 보도해야 한다.

대한민국 법치가 시작된 지 70여 년 제대로 된 법률 신문 없다가, 2021년 현재 5개 법률신문사가 보도 경쟁하고 있다.

법률신문 출입처는 법무부 대법원 대검찰청 지검 지청 경찰청 경찰서 등으로 사건이 있는 곳에는 법률기자도 매서운 눈으로 취재를 하고 있다.

오래 전 부산저축은행 경북 칠곡경찰서 형사피살사건 세월호사건 옵티머스사기 대장동사태 등을 직격 보도 했지만, 일반국민에게는 별로 알려지지 않았다고 본다. 한마디로 구독자가 적었다는 것이다.

그래도 잘못된 행정부 입법부 사법부에 대해 법률신문 기자가 눈 감는다면 "직무유기와 책무유기"가 되는 것이다. 세월호 선장이 책무 유기로 "무기징역"을 받지 않았나? 법치가 무너졌다고? 천만에!

몇몇 법조인 입법인 행정인이 불법 행위를 한 것에 대한 대가는 살아있는 법이 법 집행하리라 믿는다.

법률기자들, 움츠리지 말라. 직무유기와 책무유기 절대로 하면 안 된다. 일부 법조인의 법 위반에 대해 과감하게 보도해야 할 것이다. 반드시 유념했으면 한다.

그냥 이야기

인 쇄 : 2021년 12월 7일 초판 1쇄
발 행 : 2021년 12월 15일 초판 1쇄
지은이 : 김철수
감 수 : 장정렬
펴낸이 : 오태영
표지디자인 : 노혜지
출판사 : 진달래
신고 번호 : 제25100-2020-000085호
신고 일자 : 2020.10.29
주 소 : 서울시 구로구 부일로 985, 101호
전 화 : 02-2688-1561
팩 스 : 0504-200-1561
이메일 : 5morning@naver.com
인쇄소 : TECH D & P(마포구)

값 : 13,000원
ISBN : 979-11-91643-32-9(03810)